© Rafael Alberti
© Susaeta Ediciones, S.A., 1999
C/ Campezo s/n – 28022 Madrid
Telf. 913 009 100
Fax 913 009 118
Diseño de cubierta: Jesús Gabán
Ilustraciones: Jesús Gabán
Selección y prólogo: José Morán
Impreso en España
No está permitido la reproducción
del contenido de este libro,
ni su tratamiento informático.

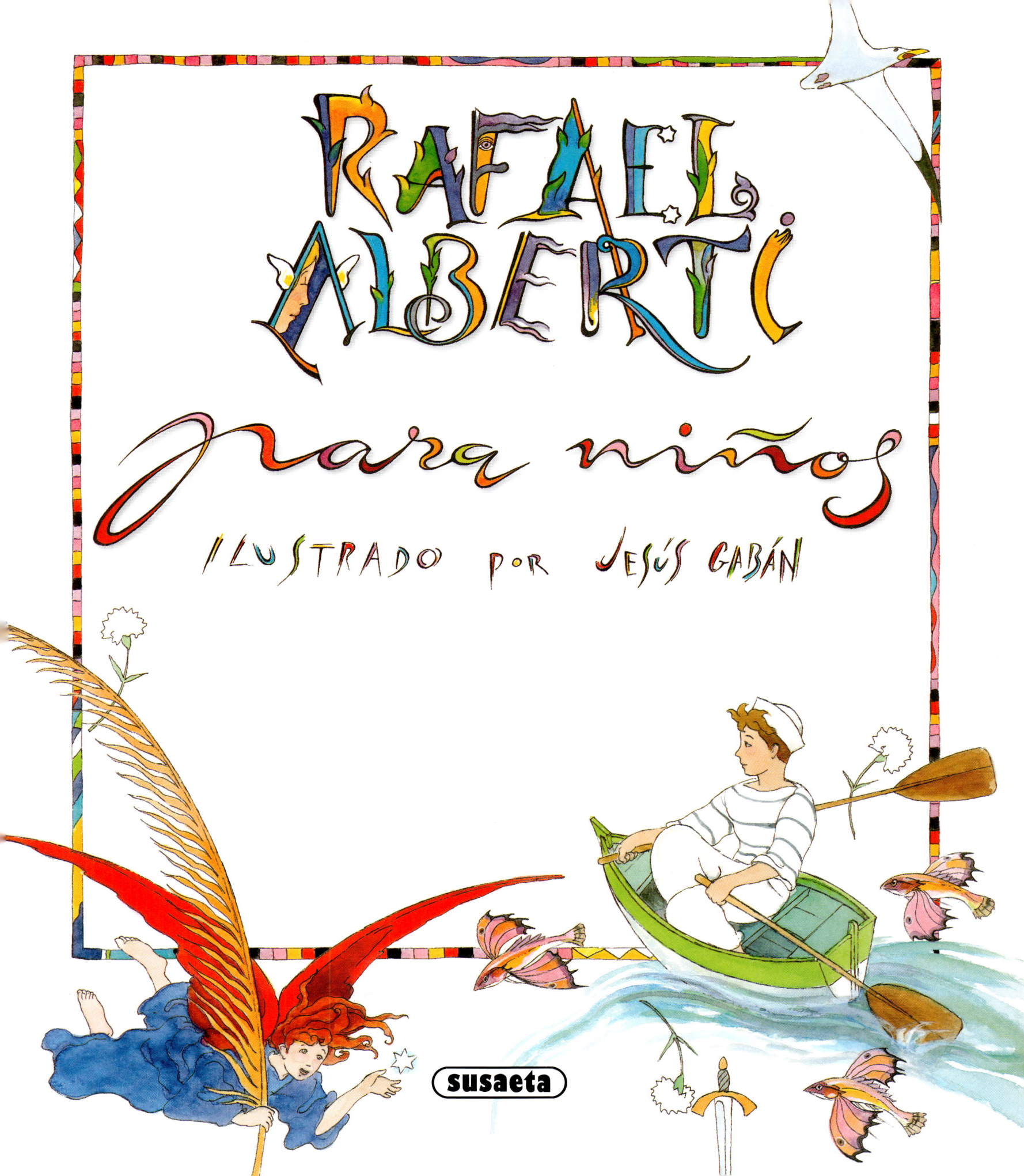

LA MAR DE VERSOS

Rafael Alberti (El Puerto de Santa María, Cádiz, 1902) es uno de los más grandes poetas españoles del siglo XX.

Y es también —más difícil todavía— un extraordinario poeta muy cercano a los niños.

Don Rafael atrae a los niños por su personalidad. Tan simpático, sonriente y sabio, con su amable aspecto de abuelo y mago.

Y más atractivo aún por su poesía: versos que embrujan y encantan de tan sonoros; versos cortos, musicales, juguetones, sorprendentes; versos mojados y salados, versos azules y blancos, tan próximos al universo infantil.

Desde muy pequeño, *EL MAR*, la mar, se clavó en sus pupilas y en ellas sigue como continua fuente de inspiración.

El mar, la mar, le produjo como una dulce borrachera y una atracción irresistible. Por el mar paseaba y jugaba con su perro, observando el vuelo de las gaviotas y los juegos de otros *ANIMALES*. Junto al mar conoció y también envidió los *OFICIOS* marinos que años más tarde inmortalizó en sus poemas.

Y la mar fue su primer *amor*. Luego vendrían más amores y *AMORÍOS*, reales y literarios...

Cuando tuvo que abandonar el mar —en 1917 se traslada con su familia a Madrid—, lo añoró con toda su alma. Su libro *Marinero en Tierra* recoge todas esas vivencias; y sus cuadros, pues fue Alberti un notable pintor.

También echó de menos el poeta, y no con menos desgarro, años después, a España, su patria. Fue durante su largo exilio tras la Guerra Civil. Por su compromiso político con el bando republicano, el poeta tuvo que refugiarse en Francia, y más tarde en Argentina -donde nació su hija Aitana- e Italia, donde residió a partir de 1963. Fueron tiempos de *NOSTALGIAS*.

Entonces, de manera especial entonces, el poeta cantó. Cantó sin odio. Canciones a la paz, a su tierra... *CANCIONES* que adquieren un alcance universal, que van del dolor personal al deseo de justicia y paz para todos los hombres.

Pero esos acentos a veces solemnes no acallaron, ni mucho menos, su buen humor. En los buenos y en los malos momentos, siempre resurge su ingenio, el gracejo andaluz innato, la ironía que le llevan a veces a divertidas composiciones de varios sentidos, una suerte de personalísimos *DISPARATES*.

Alberti volvió a España con la democracia, en 1977, y fue aquel un tiempo de reconocimientos y homenajes. Pero una de sus mayores alegrías íntimas fue el reencuentro con su tan recordada bahía de Cádiz.

Al *FINAL*, más allá del tiempo y la distancia, tanto el entrañable poeta como el mar han recorrido un largo camino. Están un poco cansados, pero contentos, satisfechos.

Y desde su querido rincón andaluz, juntos otra vez, nos regalan esta antología, que presentamos nosotros ahora siguiendo más o menos estos capítulos-episodios que nos aproximan un poco al sentido de su inmortal obra: *mar, disparates, animales, oficios, amoríos, nostalgias, canciones, finales...*

Son, sí, la mar de versos de Alberti.

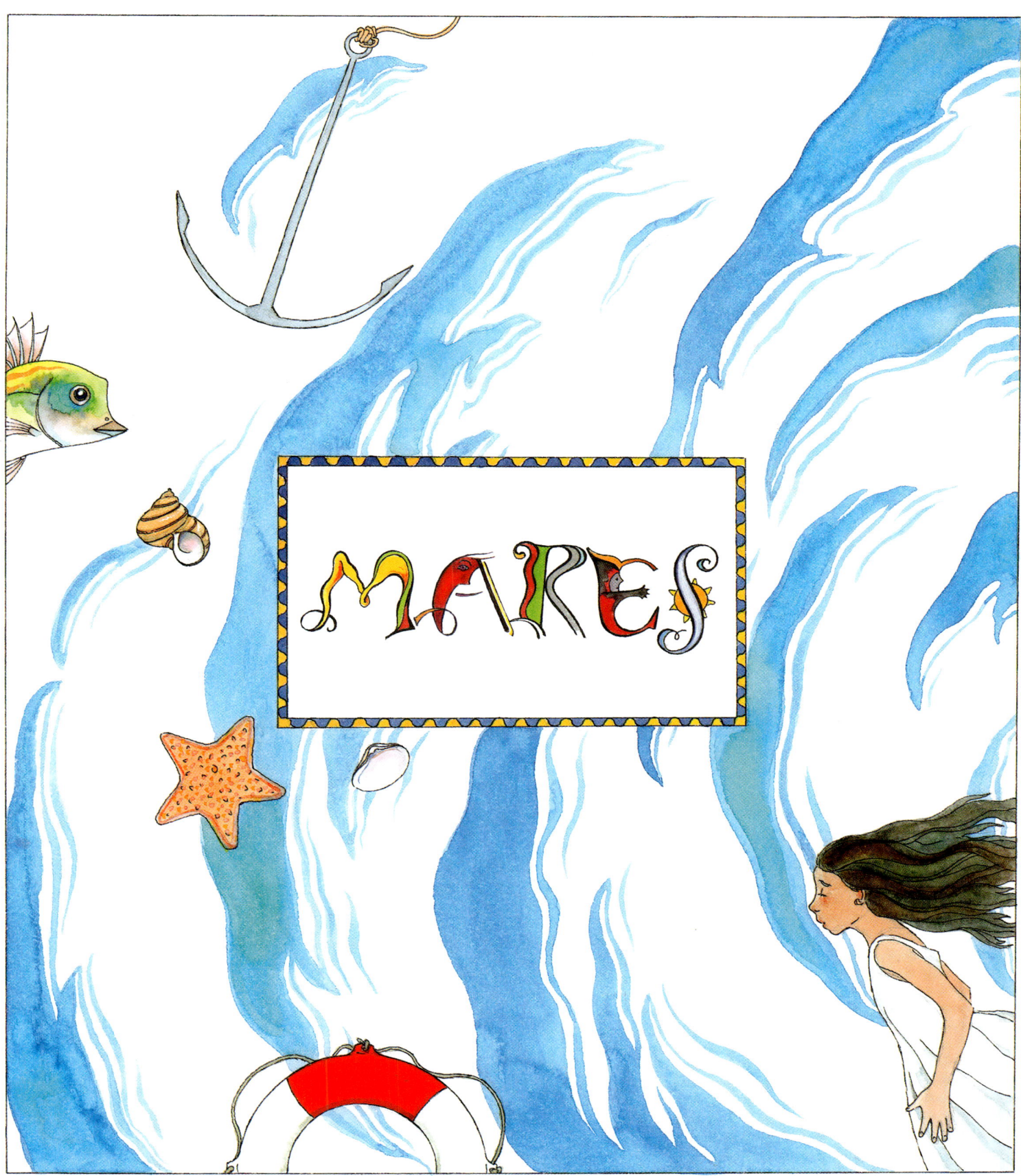

Si mi voz muriera en tierra

Si mi voz muriera en tierra,
llevadla al nivel del mar
y dejadla en la ribera.

Llevadla al nivel del mar
y nombradla capitana
de un blanco bajel de guerra.

¡Oh mi voz condecorada
con la insignia marinera:
sobre el corazón un ancla,
y sobre el ancla una estrella,
y sobre la estrella el viento,
y sobre el viento la vela!

Me siento, mar...

Me siento, mar a oírte.
¿Te sentarás, tú, mar, para escucharme?

De niño, mar...

De niño, mar, ¿no sabes?,
yo te pintaba siempre a la acuarela.

Si te escucharas...

Si te escucharas, mar, si tu lenguaje
pudiera, mar, ser otro,
¿qué palabras dirías?

La niña que se va al mar

¡Qué blanca lleva la falda
la niña que se va al mar!

¡Ay niña, no te la manche
la tinta del calamar!

¡Qué blancas tus manos, niña,
que te vas sin suspirar!

¡Ay niña, no te las manche
la tinta del calamar!

¡Qué blanco tu corazón
y qué blanco tu mirar!

¡Ay niña, no te los manche
la tinta del calamar!

Madre, vísteme...

—Madre, vísteme a la usanza
de las tierras marineras:
el pantalón de campana,
la blusa azul ultramar
y la cinta milagrera.

—¿Adónde vas, marinero,
por las calles de la tierra?

—¡Voy por las calles del mar!

Los balcones de mi casa

¡Qué altos
los balcones de mi casa!

Pero no se ve la mar.
¡Qué bajos!

Sube, sube, balcón mío,
trepa el aire, sin parar:
sé terraza de la mar,
sé torreón de navío.

—¿De quién será la bandera
de esa torre vigía?

—¡Marineros, es la mía!

Quién cabalgara el caballo

¡Quién cabalgara el caballo
de espuma azul de la mar!

De un salto,
¡quién cabalgara la mar!

¡Viento, arráncame la ropa!
¡Tírala, viento, a la mar!

De un salto,
quiero cabalgar la mar.

¡Amárrame a tus cabellos,
crin de los vientos del mar!

De un salto,
quiero ganarme la mar.

adrigal de Blanca-nieve

Blanca-nieve se fue al mar.
¡Se habrá derretido ya!

Blanca-nieve, flor del norte,
se fue al mar del mediodía,
para su cuerpo bañar.

¡Se habrá derretido ya!

Blanca-nieve, Blanca-y fría,
¿por qué te fuiste a la mar
para tu cuerpo bañar?

¡Te habrás derretido ya!

Barco carbonero

Barco carbonero,
negro el marinero.

Negra, en el viento, la vela.
Negra, por el mar, la estela.

¡Qué negro su navegar!

La sirena no le quiere.
El pez espada le hiere.

¡Negra su vida en el mar!

Recuérdame en alta mar

Recuérdame en alta mar,
amiga, cuando te vayas
y no vuelvas.

Cuando la tormenta, amiga,
clave un rejón en la vela.

Cuando alerta el capitán
ni se mueva.

Cuando la telegrafía
sin hilos ya no se entienda.

Cuando ya el palo-trinquete
se lo trague la marea.

Cuando en el fondo del mar
seas sirena.

Al mar, al mar

Al mar
al mar
la serpentina azul de esta canción.

Revientan las bengalas
y un cohete pirata asalta las estrellas.

Suéltate los cabellos
mi corazón navegará por ellos.

Las algas de la noche ya están verdes
y pronto va a volar el sueño.

Geografía física

Nadie sabe Geografía
mejor que la hermana mía.

—La anguila azul del canal
enlaza las dos bahías.

—Dime: ¿dónde está el volcán
de la frente pensativa?

—Al pie de la mar morena,
solo, en un banco de arena.

(Partiendo el agua, un bajel
sale del fondeadero.
Camino del astillero,
va cantando el timonel).

—Timonel, hay un escollo
a la salida del puerto.

—Tus ojos, faros del aire,
niña, me lo han descubierto.
¡Adiós, mi dulce vigía!

¡Nadie sabe Geografía,
mejor que la hermana mía!

Huye el mar

Huye el mar, doloridas las espaldas,
oyéndosele luego llorar desconsolado,
como niño sin postre en una carbonera.

Sabe también

Sabe también el mar a niño solo,
niño chico que pide de comer a su madre.

De lejos

De lejos tiene el mar conversación de bosque.
¿Tiene el bosque en su umbría conversación de mar?

El otoño, otra vez

Cuando barro las hojas del otoño,
siento como si el mar, metido en ellas,
muriera, sollozando.

Epitafios

Yace aquí el mar. Ni él mismo
supo jamás el número de olas
que deshizo su sueño.

Yace aquí el mar. Hubiera
querido ser marino desde niño.

Yace el mar. Nadie tuvo,
como él, una caja
clavada con estrellas.

DISPARATES

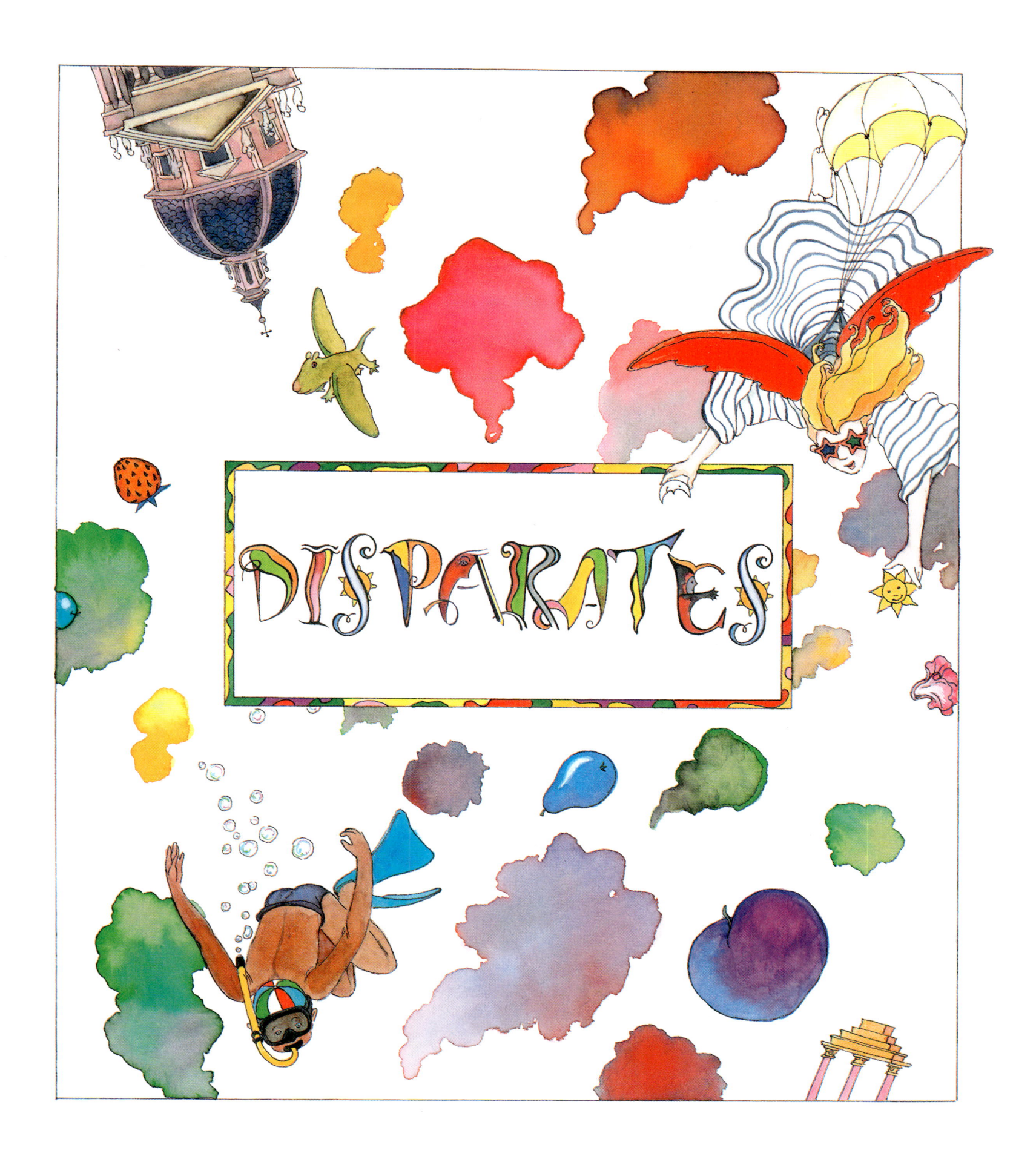

Bailecito de bodas

Por el Totoral,
bailan las totoras
del ceremonial.

Al tuturuleo
que las totorea,
baila el benteveo
con su bentevea.

¿Quién vio al picofeo
tan pavo real,
entre las totoras,
por el Totoral?

Clavel ni alhelí,
nunca al rondaflor
vieron tan señor
como al benteví.
Cola color sí,
color no, al ojal,
entre las totoras,
por el Totoral.

Benteveo, bien,
al tuturulú,
chicoleas tú
con tu ten con ten.
¿Quién picará a quién,
al punto final,
entre las totoras,
por el Totoral?

Por el Totoral
bailan las totoras
del matrimonial.

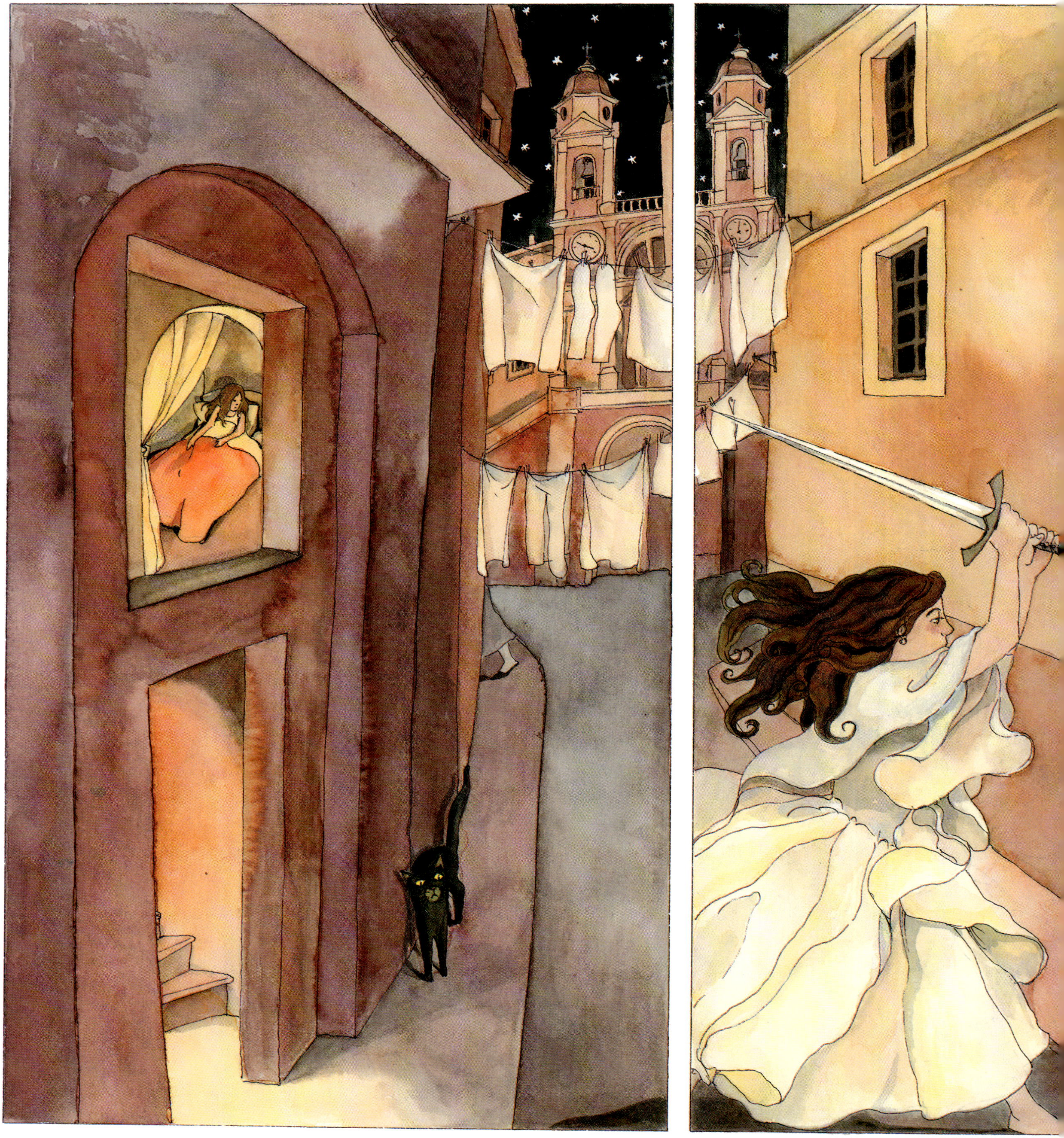

octurno

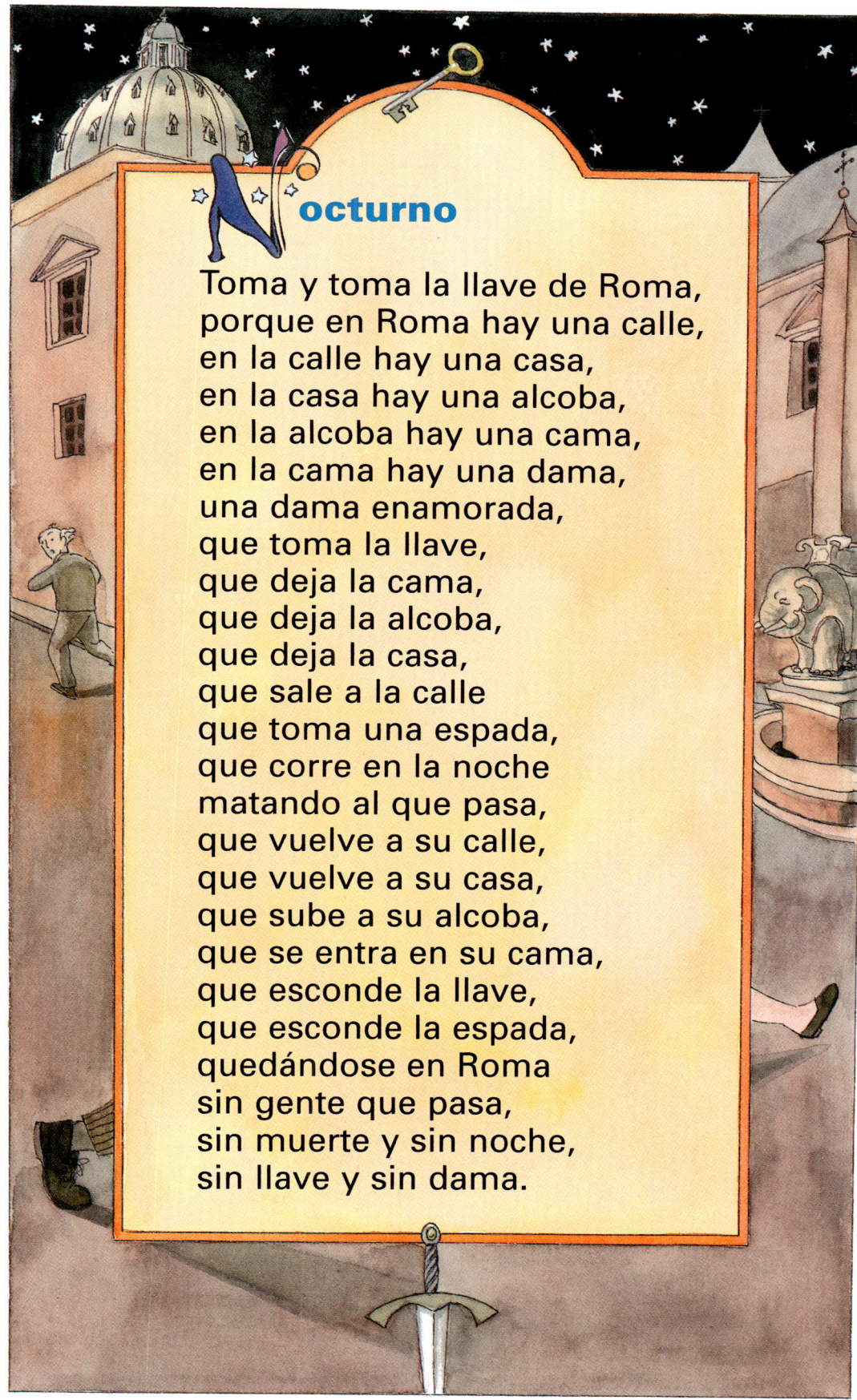

Toma y toma la llave de Roma,
porque en Roma hay una calle,
en la calle hay una casa,
en la casa hay una alcoba,
en la alcoba hay una cama,
en la cama hay una dama,
una dama enamorada,
que toma la llave,
que deja la cama,
que deja la alcoba,
que deja la casa,
que sale a la calle
que toma una espada,
que corre en la noche
matando al que pasa,
que vuelve a su calle,
que vuelve a su casa,
que sube a su alcoba,
que se entra en su cama,
que esconde la llave,
que esconde la espada,
quedándose en Roma
sin gente que pasa,
sin muerte y sin noche,
sin llave y sin dama.

Ja je ji jo ju

Ja ja ja!
        Qué gracioso
está mi corazón
vestido de smoking rojo

je je je!
        Apenas si lo conozco
ji ji ji!
        Qué gracioso
jo jo jo!
        Lo voy a llevar al Polo
ju ju ju!
        Qué gracioso

Mar en bicicleta

¿Te gustaría, mar, montarte en bicicleta,
darte un largo paseo por las ramblas,
alquilar luego una sombrilla verde
y tumbarte en la playa,
como una mar cualquiera,
a descansar del baño?

Dondiego sin don

Dondiego no tiene don,
Don.

Don dondiego
de nieve y de fuego.
Don, din, don,
que no tienes don.

Ábrete de noche,
ciérrate de día,
cuida no te corte
quien te cortaría,
pues no tienes don.

Don dondiego,
que al sol estás ciego.
Don, din, don,
que no tienes don.

El suelo está patinando

El suelo está patinando
y la nieve se va cantando:

Un ángel lleva tu trineo
el sol se ha ido de veraneo

Yo traigo el árbol de Noel
sobre mi lomo de papel

Mira Sofía dice el cielo:
la ciudad para ti es un
caramelo
de albaricoque
de frambuesa
o de limón.

La cola era verde

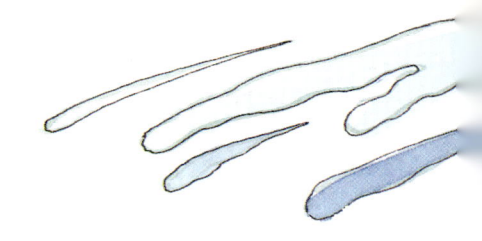

La cola era verde.
Lola lo estaba mirando desde una ola verde.

Lola era una ola.
La cola que lo miraba se puso amapola.

Y la cola iba
de Lola a la ola,
de la ola a Lola,
amapola y verde,
verde y amapola.

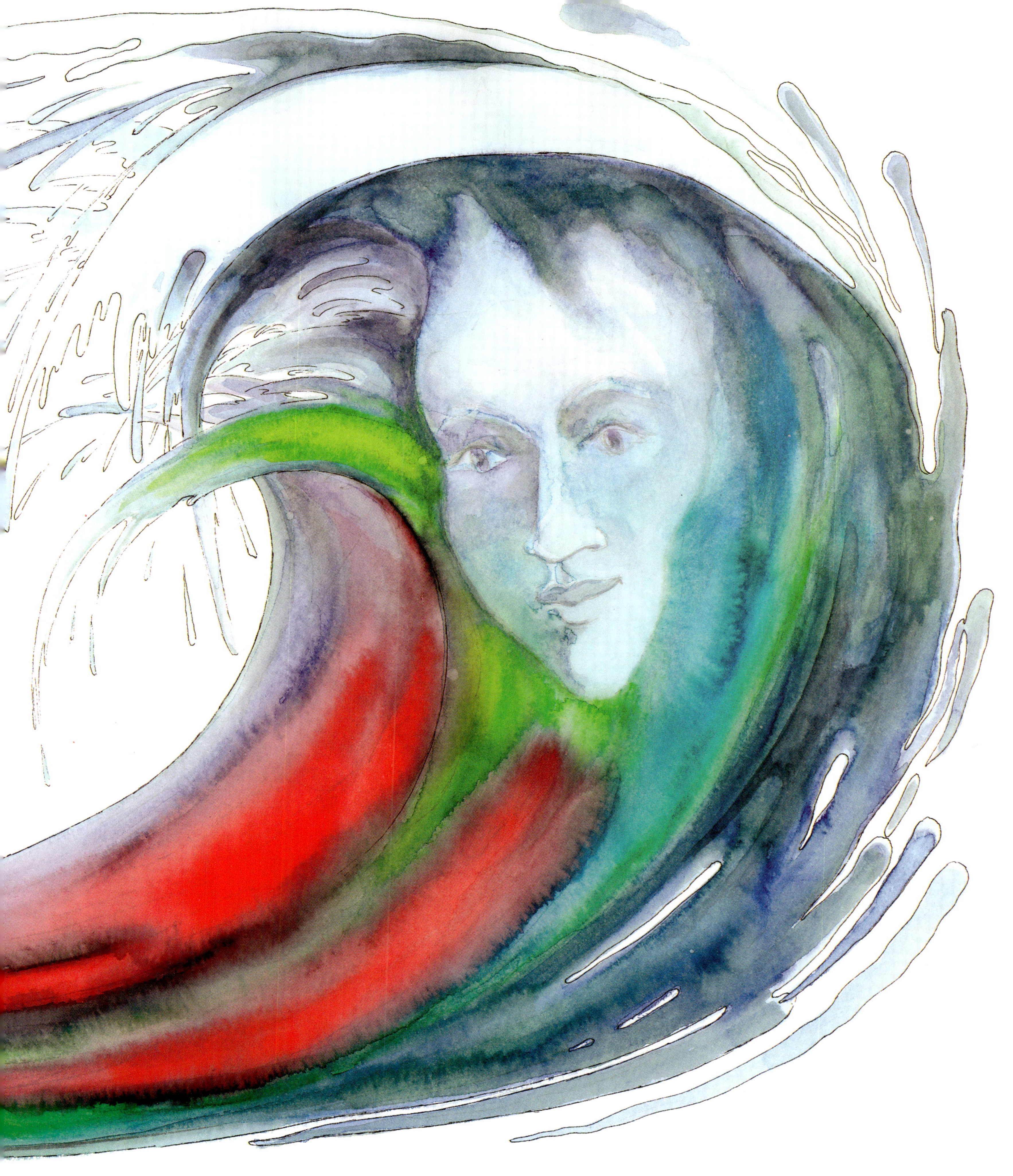

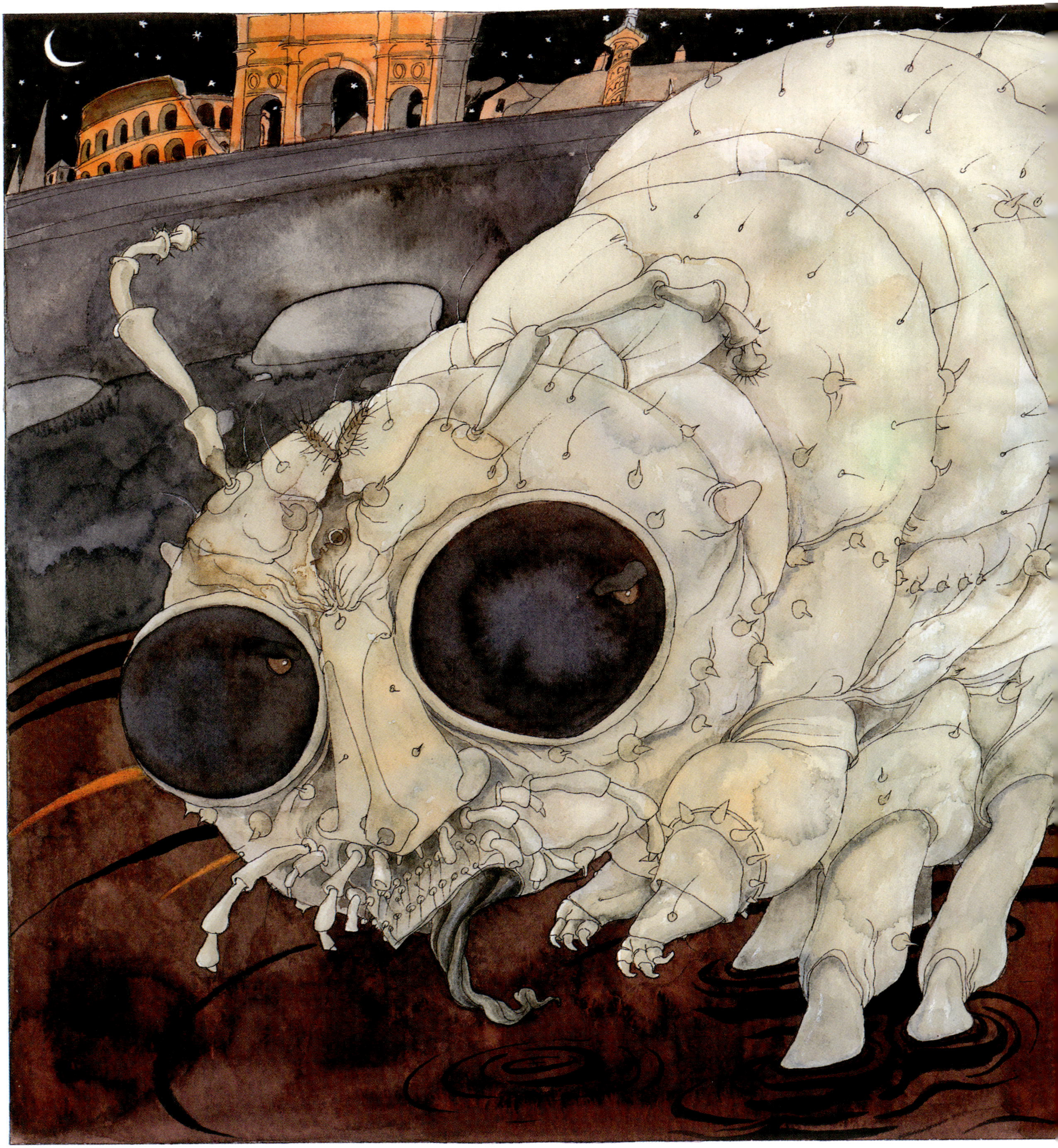

La otra noche vi

La otra noche vi...
¿A quién vi?

A quien me ha mordido,
a quien me ha comido
la vida yo vi.

En un charco oscuro,
allí estaba oscuro,
mirándome, hinchado,
pequeño e hinchado.
Allí.

¿Qué haces aquí en Roma?
¿Es que ha muerto Roma?
Di.

No infectes el aire.
Deja libre el aire.
Si te empujo al río,
se pudrirá el río.
¡Fuera de aquí!

Gorgojo, piojo,
hinchado gorgojo,
nadie te dio muerte.
¿Quién te dará muerte
a ti?

La otra noche vi...
No digo a quién vi.

ANIMALES

Gatos, gatos y gatos...

Gatos, gatos y gatos y más gatos
me cercaron la alcoba en que dormía.
Pero el gato que entraba no salía,
muerto en las trampas de mis diez zapatos.

Cometí al fin tantos asesinatos,
que en toda Roma ningún gato había,
mas la rata implantó su monarquía,
sometiendo al ratón a sus mandatos.

Y así hallé tal castigo, que no duermo,
helado, inmóvil, solo, mudo, enfermo,
viendo agujerearse los rincones.

Condenado a morir viviendo a gatas,
en la noche comido por las ratas
y en el amanecer por los ratones.

El niño de la palma
(chuflillas)

¡Qué revuelo!

¡Aire, que al toro torillo
le pica el pájaro pillo
que no pone el pie en el suelo!

¡Qué revuelo!

Ángeles con cascabeles
arman la marimorena,
plumas nevando en la arena
rubí de los redondeles.
La Virgen de los caireles
baja una palma del cielo.

¡Qué revuelo!

—Vengas o no en busca mía,
torillo mala persona,
dos cirios y una corona
tendrás en la enfermería.

¡Qué alegría!
¡Cógeme, torillo fiero!
¡Qué salero!

De la gloria, a tus pitones,
bajé, gorrión de oro,
a jugar contigo al toro,
no a pedirte explicaciones.
¡A ver si te las compones
y vuelves vivo al chiquero!

¡Qué salero!
¡Cógeme, torillo fiero!

Alas en las zapatillas,
céfiros en las hombreras,
canario de las barreras,
vuelas con las banderillas.

Campanillas
te nacen en las chorreras.

¡Qué salero!
¡Cógeme, torillo fiero!

Te dije y te lo repito,
para no comprometerte,
que tenga cuernos la muerte
a mí se me importa un pito.
Da, toro torillo, un grito
y ¡a la gloria en angarillas!

¡Qué salero!
¡Que te arrastran las mulillas!
¡Cógeme, torillo fiero!

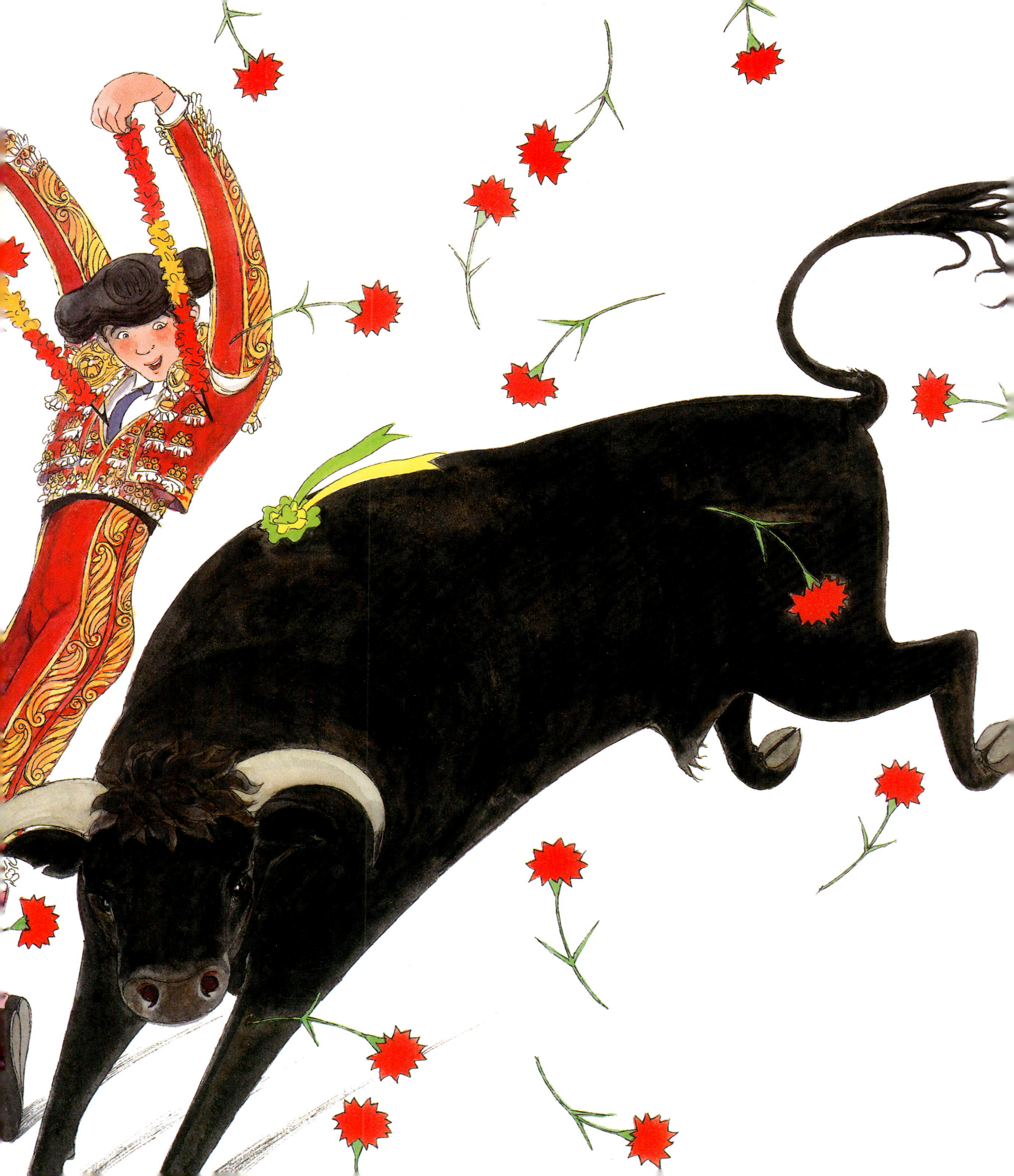

¡a volar!

Leñador,
no tales el pino,
que un hogar
hay dormido
en su copa.

—Señora abubilla,
señor gorrión,
hermana mía calandria,
sobrina del ruiseñor;
ave sin cola,
martín-pescador,
parado y triste alcaraván:

¡a volar,
pajaritos,
al mar!

La urraca

Llega la urraca cerca,
cerquita de la mar.
Pero el mar no se deja
ni querer ni robar.
Ni siquiera tan solo
para volar.

Nana de la cigüeña

Que no me digan a mí
que el canto de la cigüeña
no es bueno para dormir.

Si la cigüeña canta
arriba en el campanario,
que no me digan a mí
que no es del cielo su canto.

Nana de la tortuga

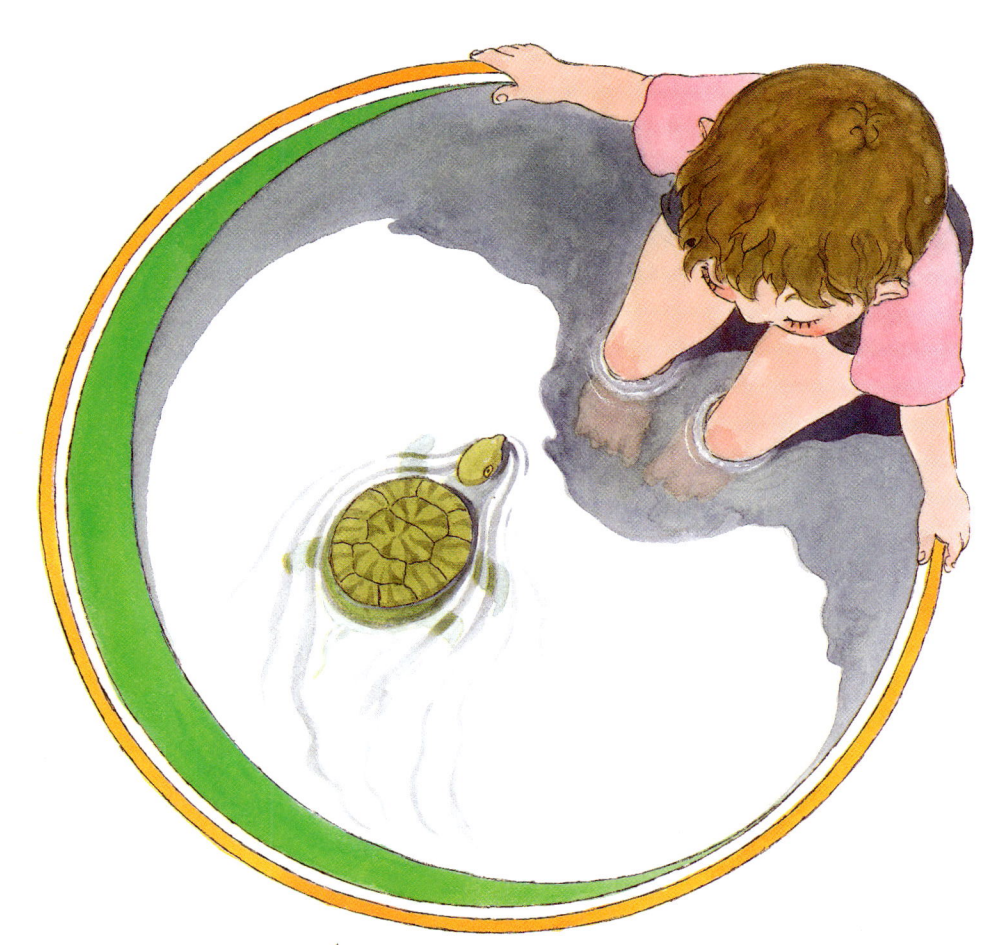

Verde, lenta, la tortuga.

¡Ya se comió el perejil,
la hojita de la lechuga!

¡Al agua, que el baño está
rebosando!
¡Al agua,
pato!

Y sí que nos gusta a mí
y al niño ver la tortuga
tontita y sola nadando.

Nana de la cabra

La cabra te va a traer
un cabritillo de nieve
para que juegues con él.

Si te chupas el dedito,
no te traerá la cabra
su cabritillo.

Paz

De todas las palomas hubo una que se fue por el mundo.
Todavía
sigue girando alrededor del sol
al compás de la tierra.
Vuela sin dueño, siempre amenazada.
¿Volverá alguna vez
al viejo palomar de donde salió un día?

OFICIOS

Pregón del amanecer

¡Arriba, trabajadores
madrugadores!

¡En una mulita parda,
baja la aurora de la plaza
el aura de los clamores,
trabajadores!

¡Toquen el cuerno los cazadores,
hinquen el hacha los leñadores;
a los pinares el ganadico,
pastores!

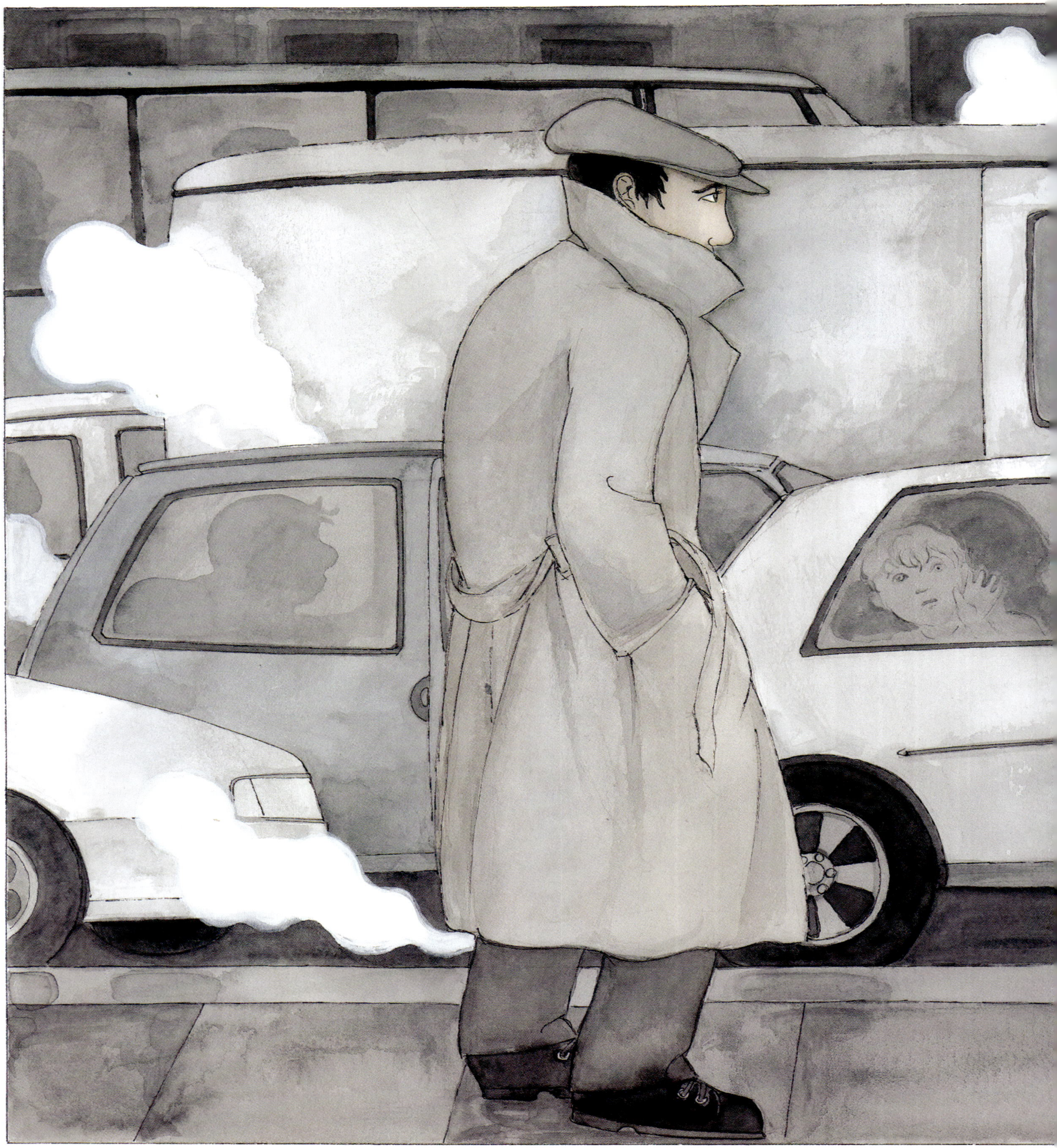

Si yo nací campesino

Si yo nací campesino,
si yo nací marinero,
¿por qué me tenéis aquí,
si este aquí yo no lo quiero?

El mejor día, ciudad,
a quien jamás he querido,
el mejor día —¡silencio!—
habré desaparecido.

Elegía del niño marinero

Marinerito delgado,
Luis Gonzaga de la mar,
¡qué fresco era tu pescado,
acabado de pescar!

Te fuiste, marinerito,
en una noche lunada,
¡tan alegre, tan bonito,
cantando, a la mar salada!

¡Qué humilde estaba la mar!
¡Él cómo gobernaba!
Tan dulce era su cantar,
que el aire se enajenaba.

Cinco delfines remeros
su barca cortejaban.
Dos ángeles marineros,
invisibles, la guiaban.

Tendió las redes, ¡qué pena!,
por sobre la mar helada.
Y pescó la luna llena,
sola, en su red plateada.

¡Qué negra quedó la mar!
¡La noche, qué desolada!
Derribado su cantar,
la barca fue derribada.

Flotadora va en el viento
la sonrisa amortajada
de su rostro. ¡Qué lamento
el de la noche cerrada!

¡Ay mi niño marinero,
tan morenito y galán,
tan guapo y tan pinturero,
más puro y bueno que el pan!

¿Qué harás, pescador de oro,
allá en los valles salados
del mar? ¿Hallaste el tesoro
secreto de los pescados?

Deja, niño, el salinar
del fondo, y súbeme el cielo
de los peces y, en tu anzuelo,
mi hortelanita del mar.

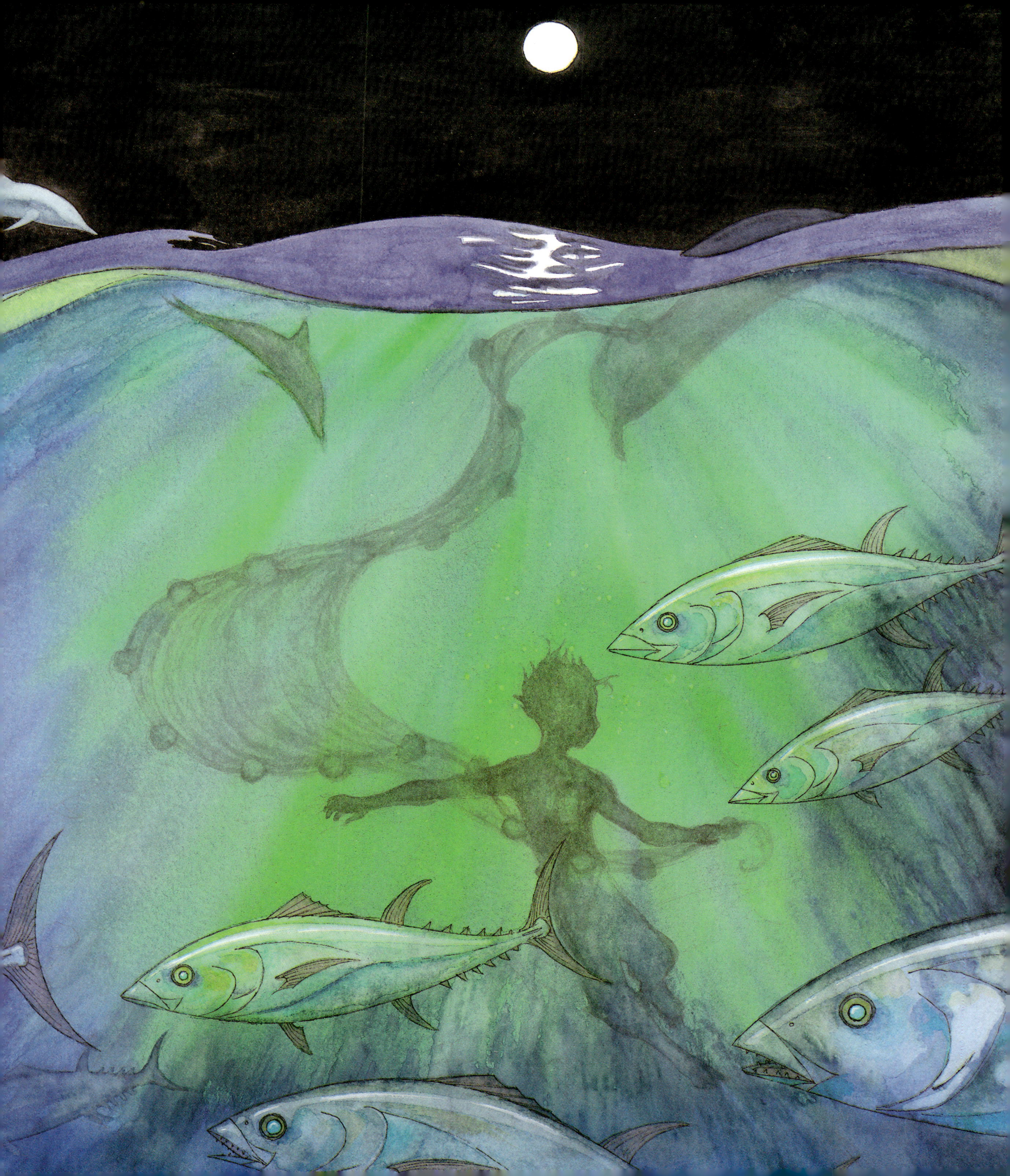

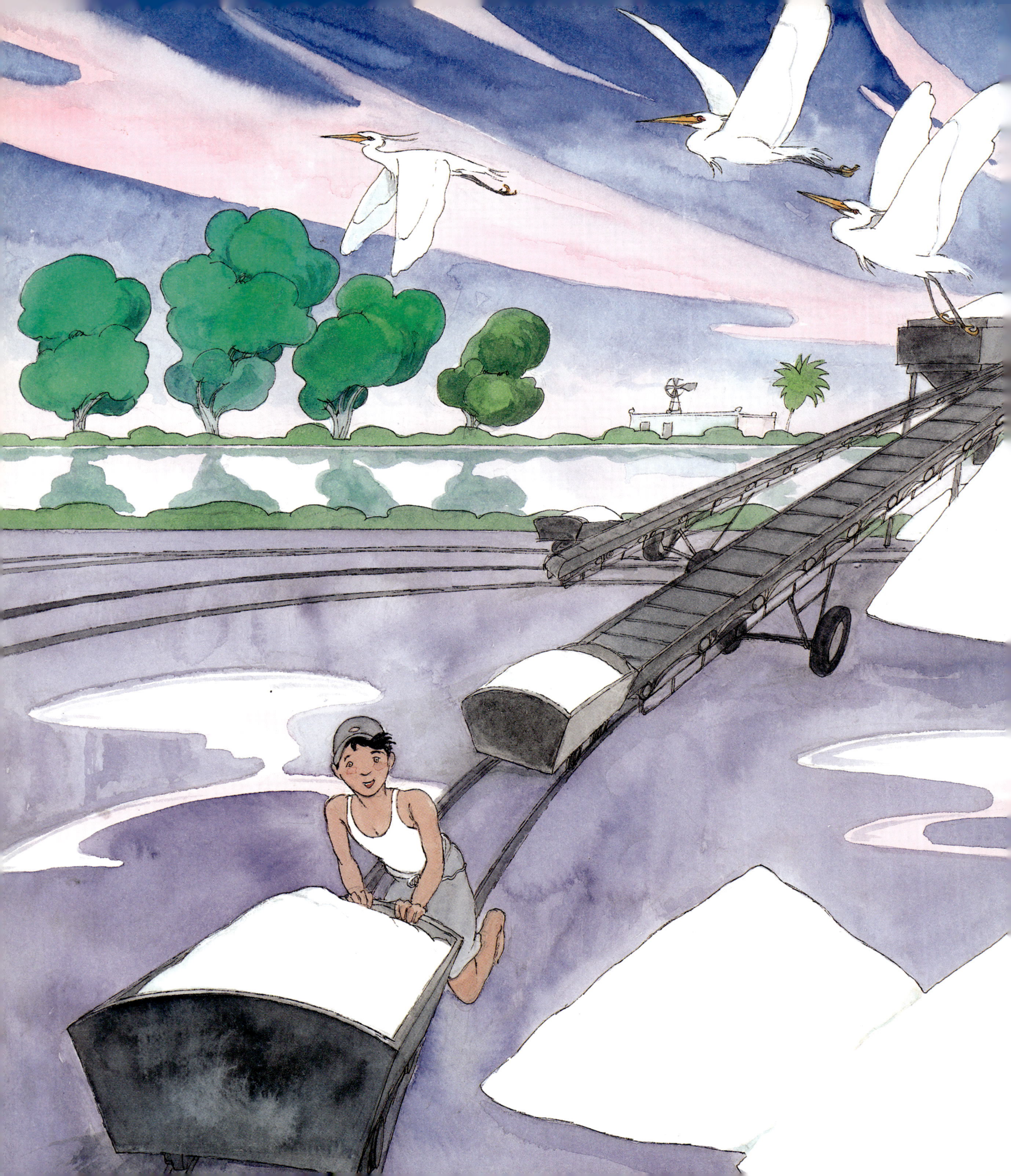

Salinero

...Y ya estarán los esteros
rezumando azul de mar.
¡Dejadme ser, salineros,
granito del salinar!

¡Qué bien, a la madrugada,
correr en las vagonetas,
llenas de nieve salada,
hacia las blancas casetas!

Dejo de ser marinero,
madre, por ser salinero.

Pirata

Pirata de mar y cielo,
si no lo fui ya lo seré.

Si no robé la aurora de los mares,
si no la robé,
ya la robaré.

Pirata de cielo y mar,
sobre un cazatorpederos,
con seis fuertes marineros,
alternos, de tres en tres.

Si no robé la aurora de los cielos,
si no la robé,
ya la robaré.

Del barco que yo tuviera

Del barco que yo tuviera,
serías la costurera.

Las jarcias, de seda fina;
de fina holanda, la vela.

—¿Y el hilo, marinerito?
—Un cabello de tus trenzas.

El piloto perdido

¡Torrero, que voy perdido
y está apagado tu faro!
Noroeste. Nada claro
por cielo, ¡y te has dormido!

¡Que se ha dormido el torrero
y nadie del astillero
talar su sueño ha querido!
¡Corre, ve, viento marero,
y dile a algún marinero
que el faro no está encendido!

Dialoguillo de la Virgen de marzo y el Niño

¡Tan bonito como está,
madre, el jardín, tan bonito!
¡Déjame bajar a él!

—¿Para qué?
—Para dar un paseíto.
—Y, mientras, sin ti, ¿qué haré?

—Baja tú a los ventanales.
Dos blancas malvas reales
en tu seno prenderé.

¡Déjame bajar, que quiero,
madre, ser tu jardinero!

Los tres noes

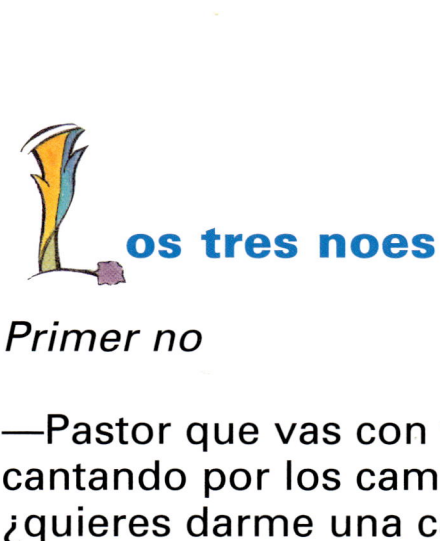

Primer no

—Pastor que vas con tus cabras
cantando por los caminos,
¿quieres darme una cabrita
para que juegue mi niño?

—Muy contento se la diera
si el dueño de mi ganado,
Señora, lo permitiera.

Segundo no

—Aceitunero que estás
vareando los olivos,
¿me das tres aceitunitas
para que juegue mi niño?

—Muy contento se las diera,
si el dueño del olivar,
Señora, lo permitiera.

Tercer no

—Ventero, amigo, que estás
sentado en tu ventorrillo,
¿quieres darme una cunita
para que duerma mi niño?

—Muy contento se la diera,
si hubiese sitio y el ama,
Señora, lo permitiera.

AMORÍOS

Prólogo

Todo lo que por ti vi
—la estrella sobre el aprisco,
el carro estival del heno
y el alba del alhelí—,
si me miras, para ti.

Lo que gustaste por mí
—la azúcar del malvavisco,
la menta del mar sereno
y el humo azul del benjuí—,
si me miras, para ti.

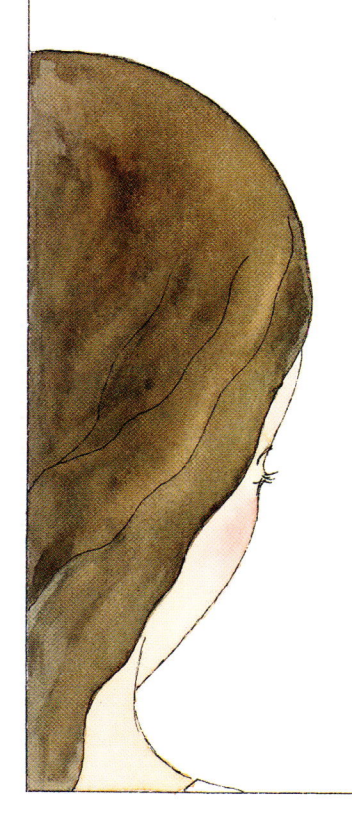

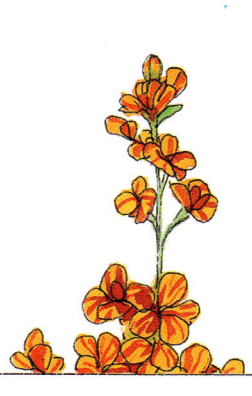

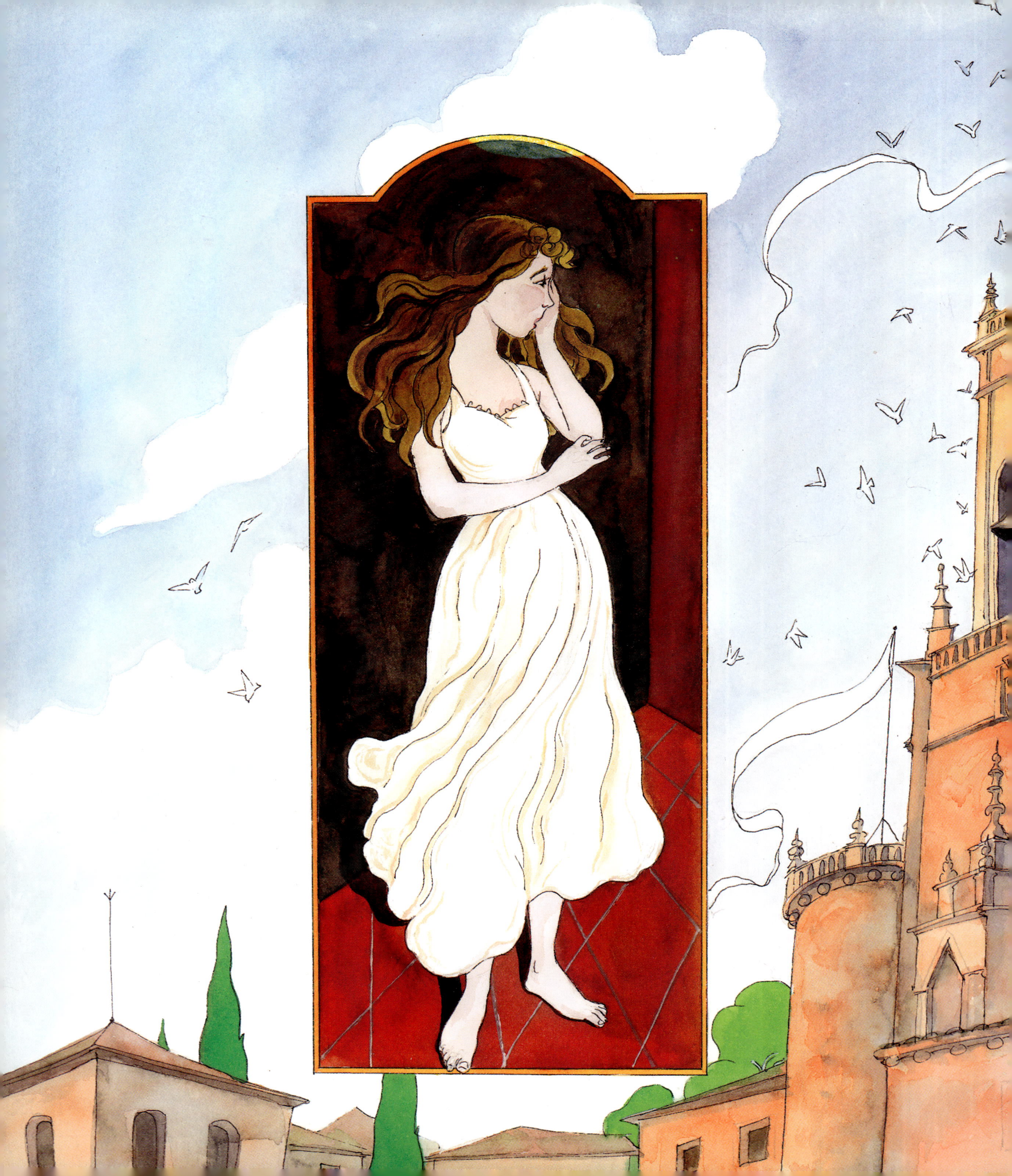

La novia

Toca la campana
de la catedral.
¡Y yo sin zapatos,
yéndome a casar!

¿Dónde está mi velo,
mi vestido blanco,
mi flor de azahar?

¿Dónde mi sortija,
mi alfiler dorado,
mi lindo collar?

¡Date prisa, madre!
Toca la campana
de la catedral.

¿Dónde está mi amante?
Mi amante querido,
¿en dónde estará?

Toca la campana
de la catedral.
¡Y yo sin mi amante
yéndome a casar!

El farolero y su novia

¡Bien puedes amarme aquí,
que la luna yo encendí,
tú, por ti, sí, tú, por ti!

—Sí, por mí.

—Bien puedes besarme aquí,
gélida novia lunera
del farol farolerí.

—Ten. ¿Te di?

Ruinas

¡Dejadme llorar aquí,
sobre esta piedra sentado,
castellanos,
mientras que llenan las mozas
de agüita fresca los cántaros!

Niño, un vasito de agua,
que tengo locos los labios.

Una coplilla morena

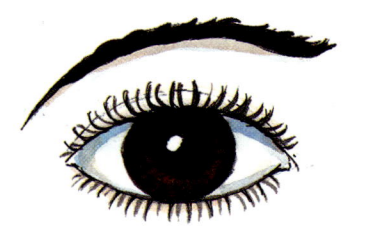

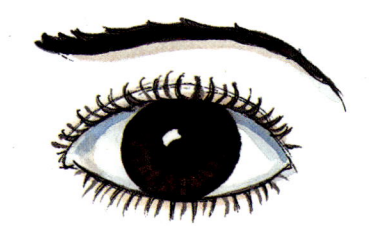

Una coplilla morena
me hiere.
Con sus ojitos me hiere.

¿Quién me cuida las heridas?
¡Que mi corazón se muere!

Dos ojitos le hieren,
dos ojitos,
como puntas de alfileres.

Es tan niña

Es tan niña, tan niña, torpona mar, que tengo
a pesar de las pruebas de amistad que me has dado,
miedo de que la lleves de la mano tan solo.

Branquias quisiera tener

Branquias quisiera tener,
porque me quiero casar.
Mi novia vive en el mar
y nunca la puedo ver.

Madruguera, plantadora,
allá en los valles salinos.
¡Novia mía, labradora
de los huertos submarinos!

¡Yo nunca te podré ver
jardinera en tus jardines
albos del amanecer!

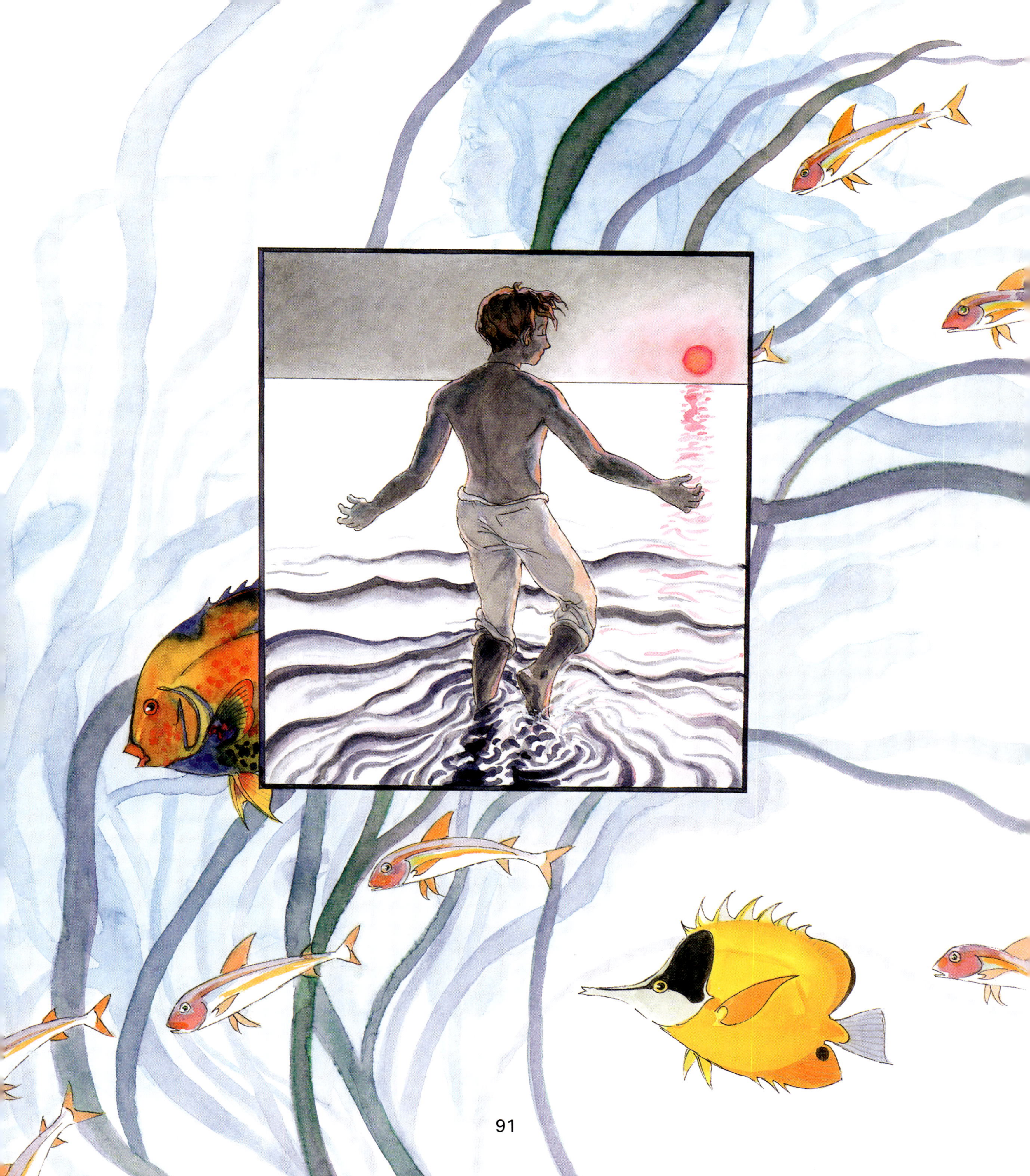

NOSTALGIAS

Mi infancia

Mi infancia fue un rectángulo
de cal fresca, de viva
cal con mi alegre solitaria sombra.

El mar

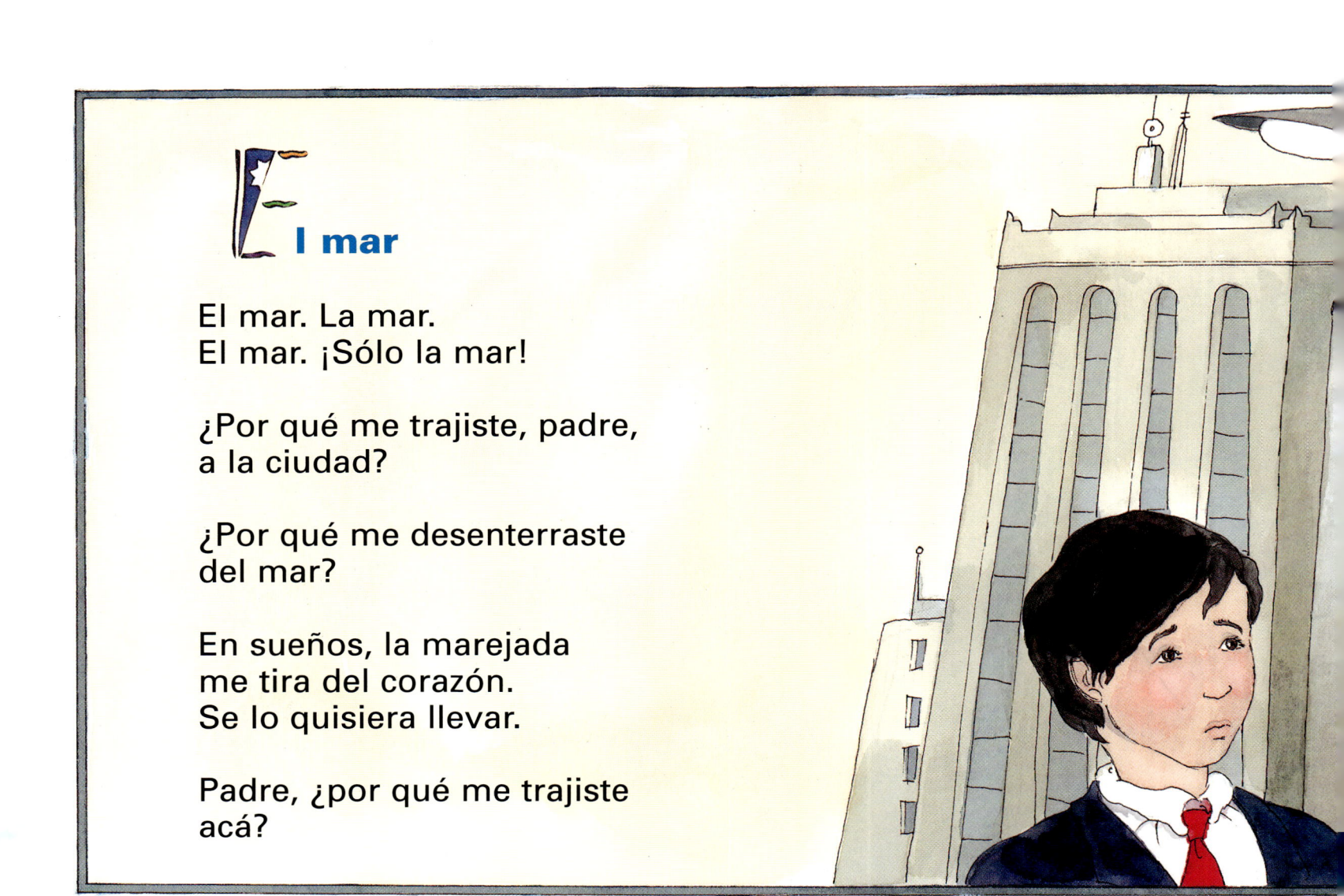

El mar. La mar.
El mar. ¡Sólo la mar!

¿Por qué me trajiste, padre,
a la ciudad?

¿Por qué me desenterraste
del mar?

En sueños, la marejada
me tira del corazón.
Se lo quisiera llevar.

Padre, ¿por qué me trajiste
acá?

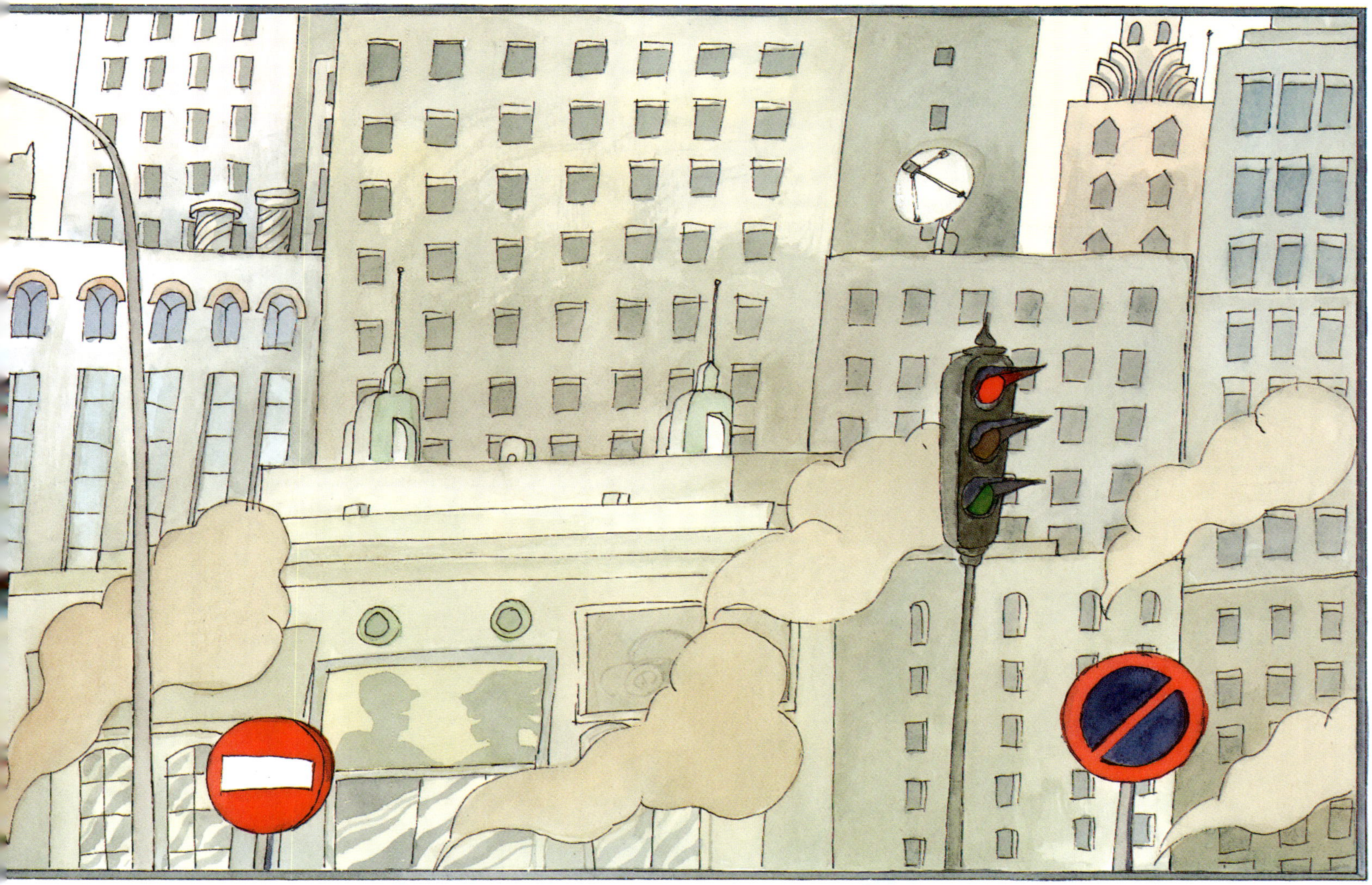

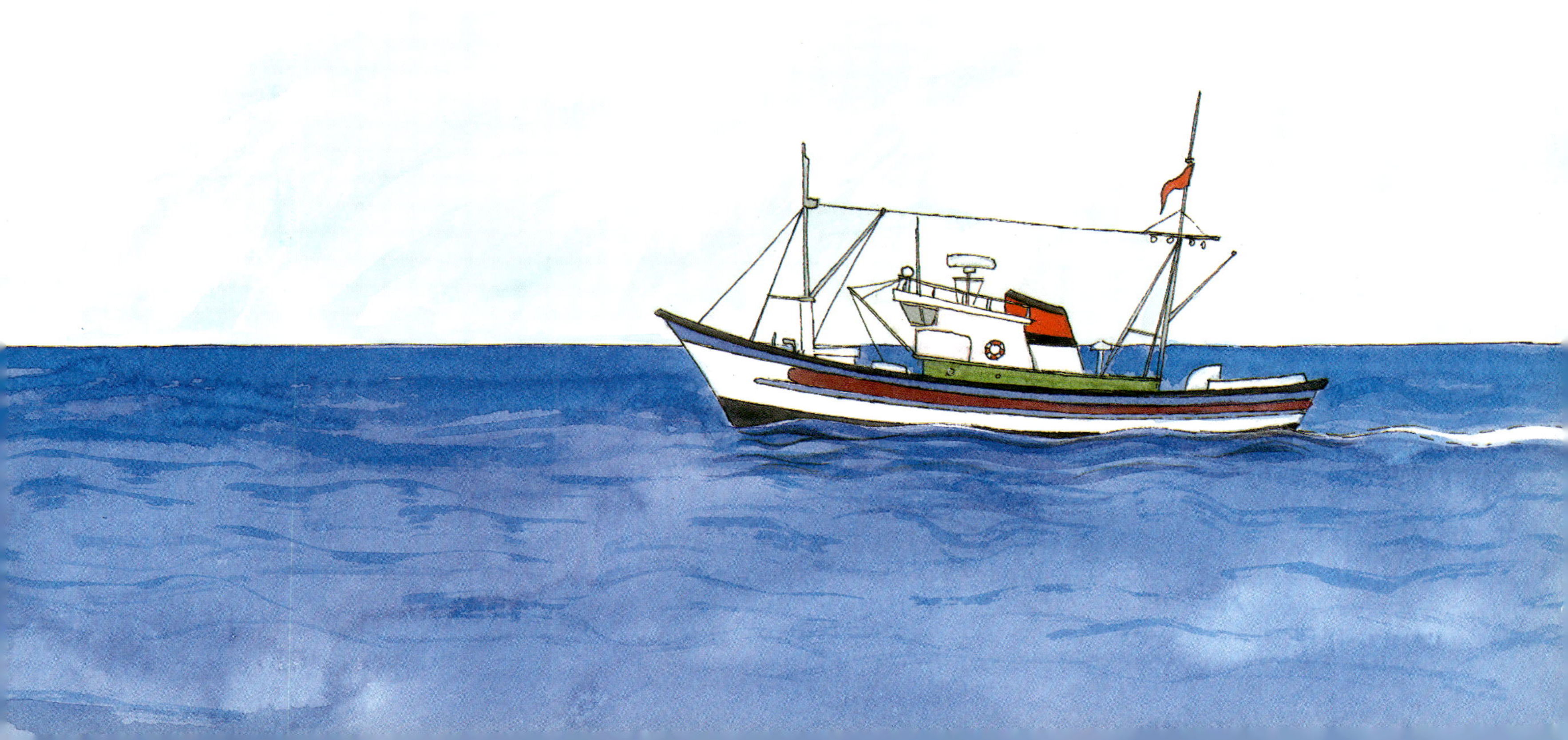

Gimiendo

Gimiendo por ver el mar,
un marinerito en tierra
iza al aire este lamento:

«¡Ay mi blusa marinera!
Siempre me la inflaba el viento
al divisar la escollera».

Medina de Pomar

¡A las altas torres altas
de Medina de Pomar!

¡Al aire azul de la almena,
a ver si ya se ve el mar!

¡A las torres, mi morena!

Me asomé...

Me asomé a ver el mar. Y vi tan solo
una mujer llorando
contra el cuarto menguante de una luna
creciente.

No me dijiste

No me dijiste, mar, mar gaditana,
mar del colegio, mar de los tejados,
que en otras playas tuyas, tan distantes,
iba a llorar, vedada mar, por ti,
mar del colegio, mar de los tejados.

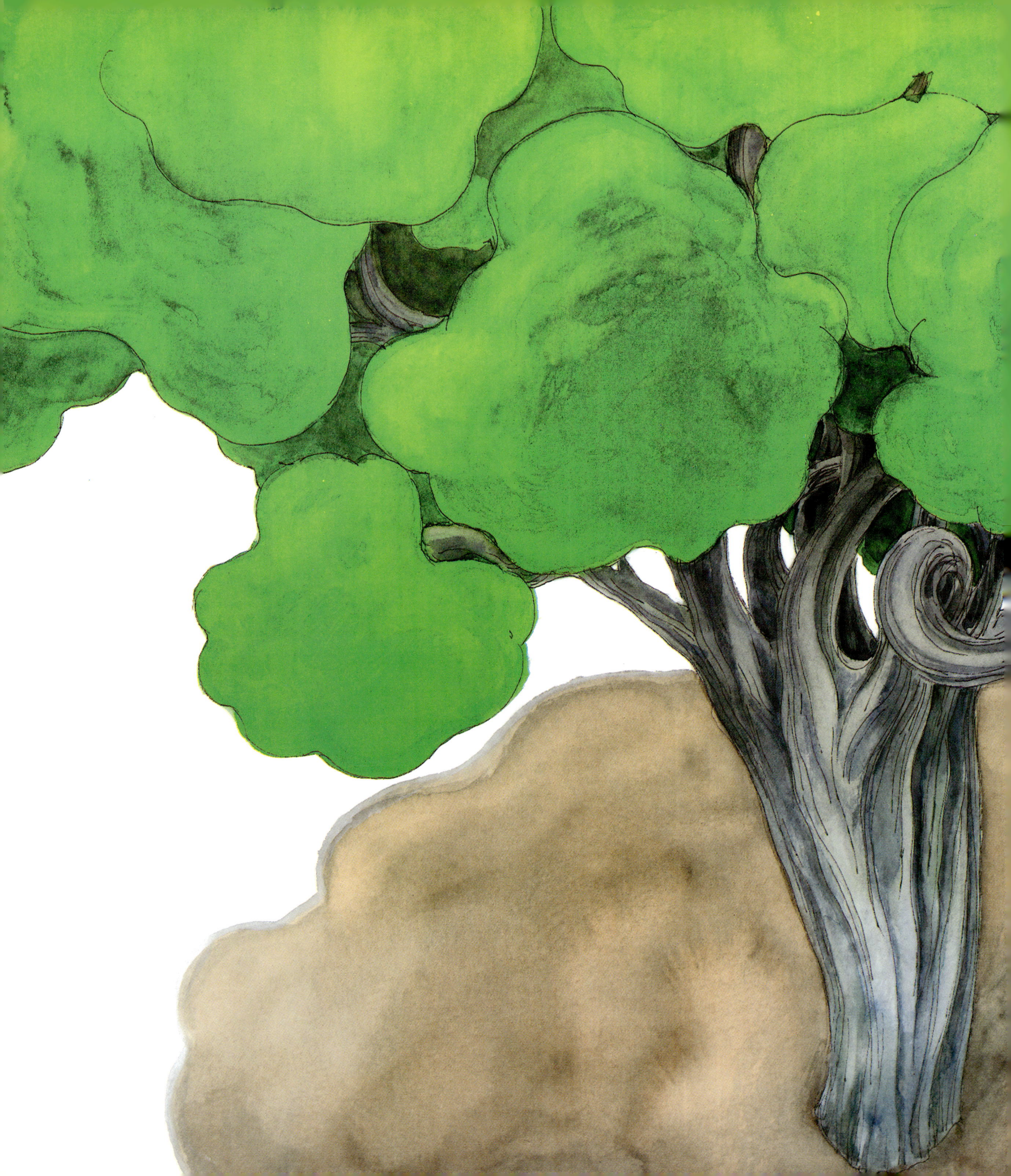

El árbol

El árbol tiene memoria,
que le anda lejos y cerca.

—¿Qué recuerda?

Recuerda cómo a sus aires
se acordaban voces frescas.

—¿Qué recuerda?

Recuerda que las perdió,
cuando era triste perderlas.

El mapa de España
Canción 8

Hoy las nubes me trajeron,
volando, el mapa de España.
¡Qué pequeño sobre el río,
y qué grande sobre el pasto
la sombra que proyectaba!

Se le llenó de caballos
la sombra que proyectaba.
Yo, a caballo, por su sombra
busqué mi pueblo y mi casa.

Entré en el patio que un día
fuera una fuente con agua.
Aunque no estaba la fuente,
la fuente siempre sonaba.
Y el agua que no corría
volvió para darme agua.

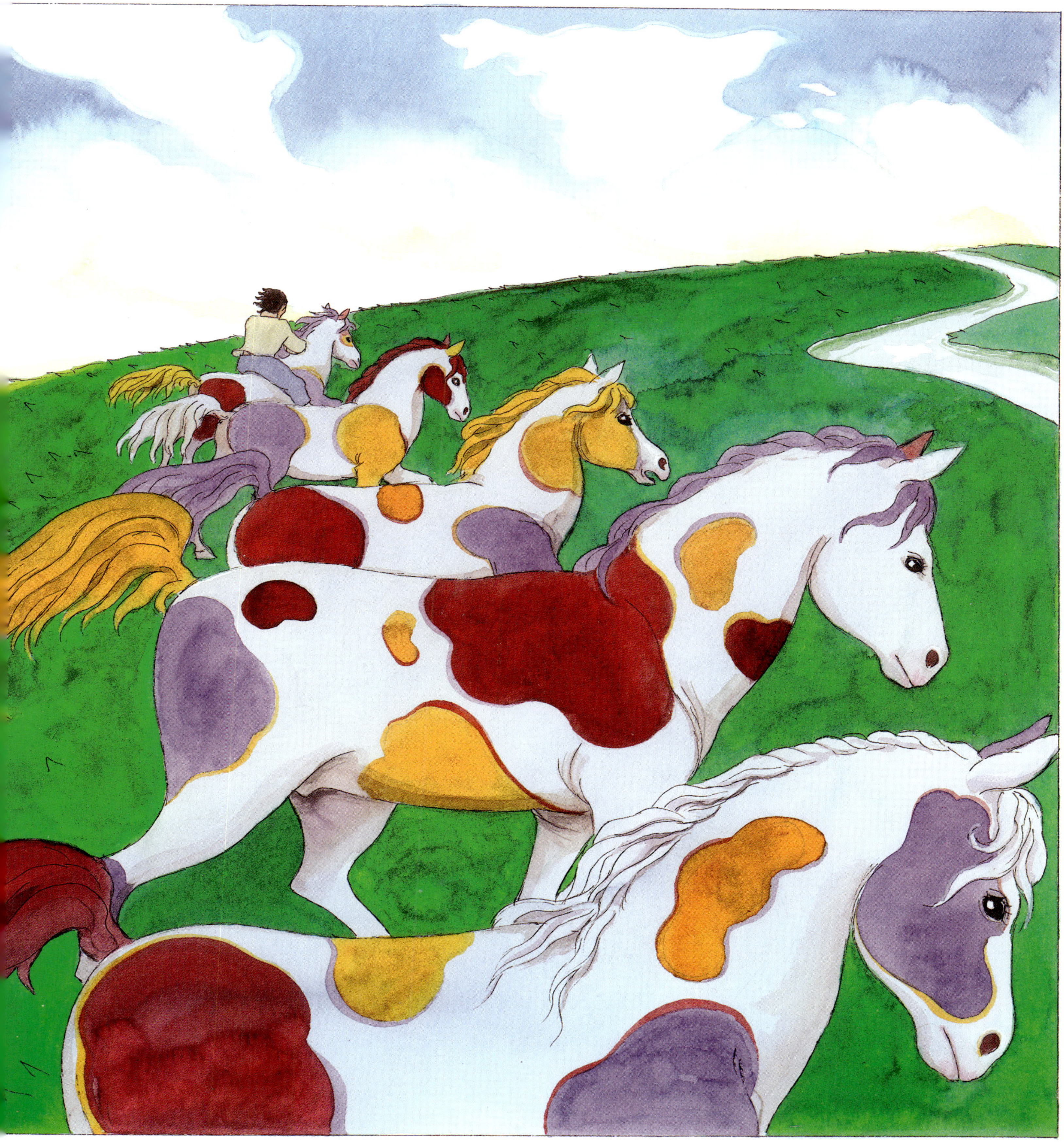

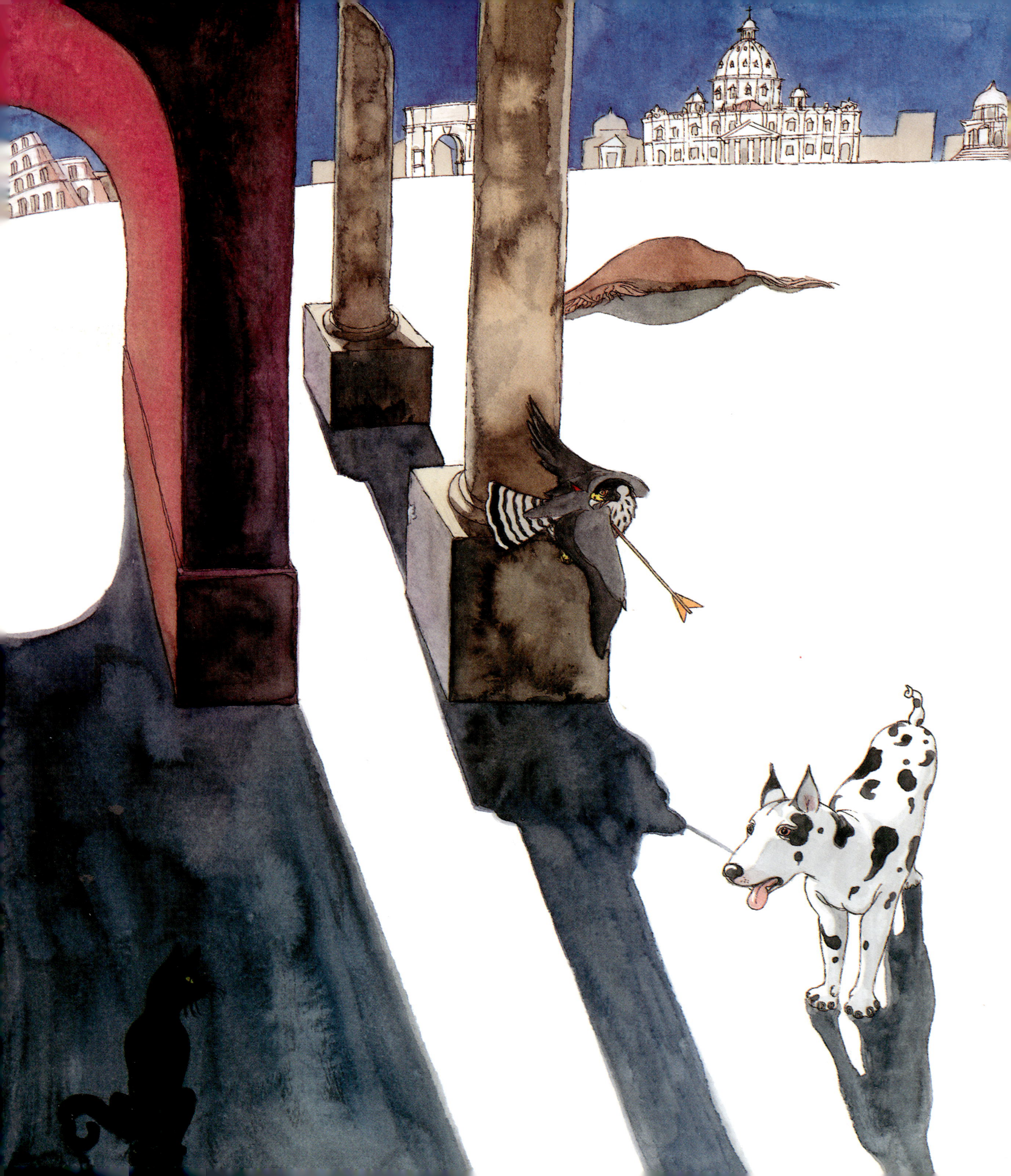

Cuando me vaya de Roma

Cuando me vaya de Roma,
¿quién se acordará de mí?

Pregunten al gato,
pregunten al perro
y al roto zapato.

Al farol perdido,
al caballo muerto
y al halcón herido.

Al viento que pasa,
al portón oscuro
que no tiene casa.

Y al agua corriente
que escribe mi nombre
debajo del puente.

Cuando me vaya de Roma,
pregunten a ellos por mí.

Balada de la bicicleta con alas

A los 50 años, hoy, tengo una bicicleta.
Muchos tienen un yate
y muchos más un automóvil
y hay muchos que también tienen ya un avión.
Pero yo,
a mis 50 años justos, tengo sólo una bicicleta.

He escrito y publicado innumerables versos.
Casi todos hablan del mar
y también de los bosques, los ángeles y las llanuras.
He cantado las guerras justificadas,
la paz y las revoluciones.
Ahora soy nada más que un desterrado.

Y a miles de kilómetros de mi hermoso país,
con una pipa curva entre los labios,
un cuadernillo de hojas blancas y un lápiz
corro en mi bicicleta por los bosques urbanos,
por los caminos ruidosos y calles asfaltadas
y me detengo siempre junto a un río
a ver cómo se acuesta la tarde y con la noche
se le pierden al agua las primeras estrellas.

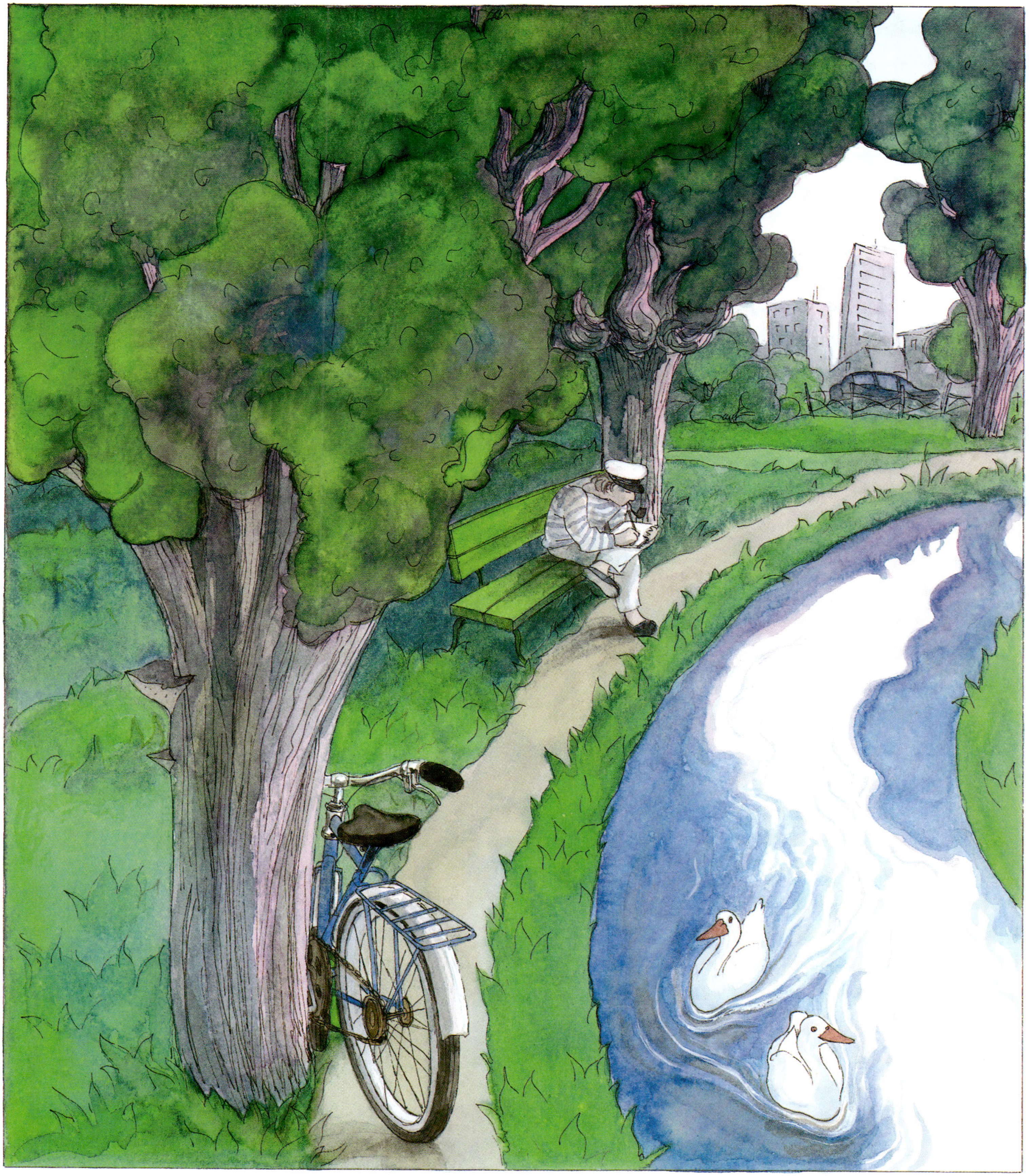

CANCIONES

Pregón

¡Vendo nubes de colores:
las redondas, coloradas,
para endulzar los calores!

¡Vendo los cirros morados
y rosas, las alboradas,
los crepúsculos dorados!

¡El amarillo lucero,
cogido a la verde rama
del celeste duraznero!

¡Vendo la nieve, la llama
y el canto del pregonero!

Barcos extranjeros

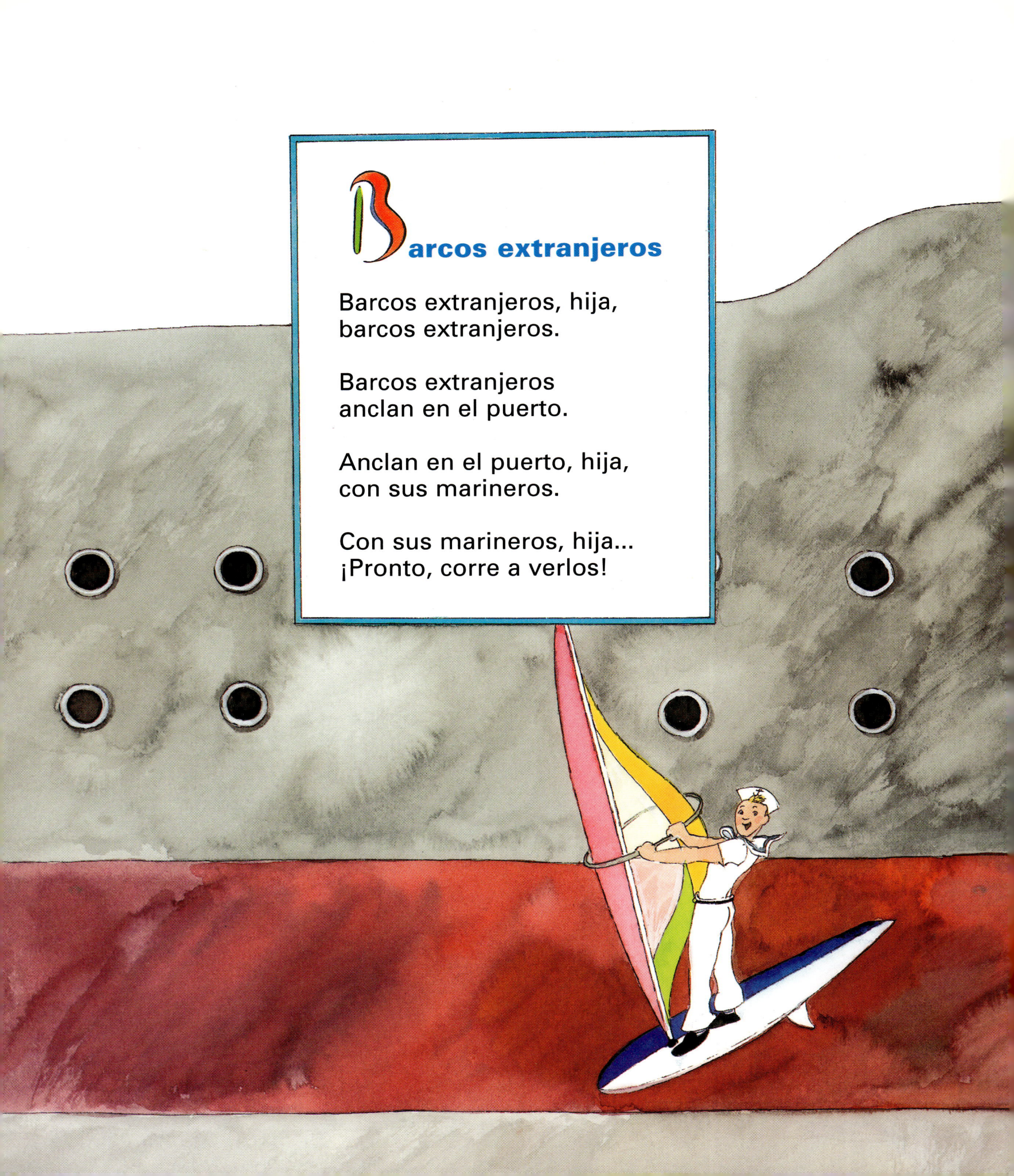

Barcos extranjeros, hija,
barcos extranjeros.

Barcos extranjeros
anclan en el puerto.

Anclan en el puerto, hija,
con sus marineros.

Con sus marineros, hija...
¡Pronto, corre a verlos!

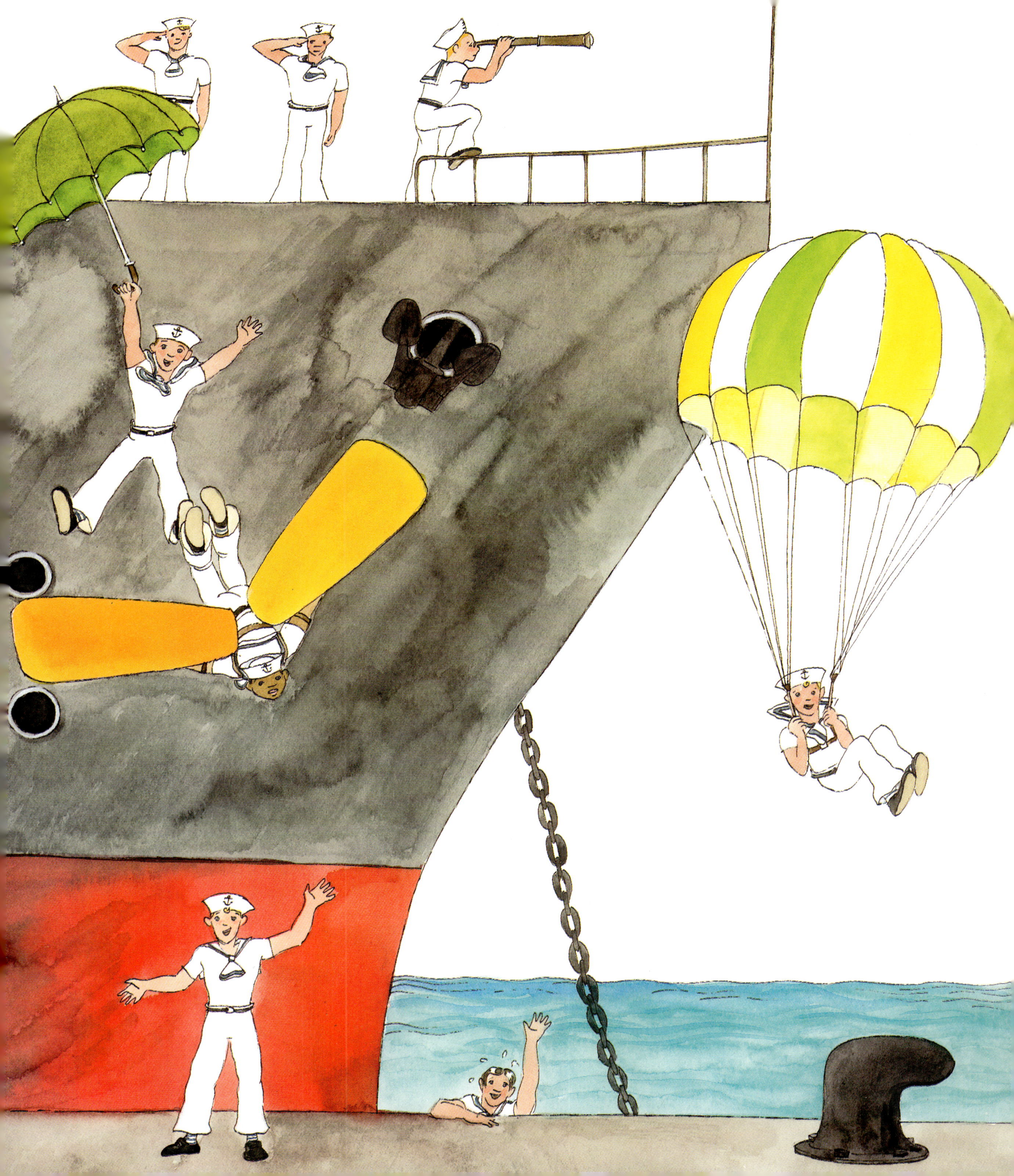

Nana del niño muerto

Barquero yo de este barco,
sí, barquero yo.

Aunque no tenga dinero,
sí, barquero yo.

Rema, niño, mi remero.
No te canses, no.

Mira ya el puerto lunero,
mira, míralo.

Nana del niño malo

¡A la mar si no duermes,
que viene el viento!

Ya en las grutas marinas
ladran sus perros.

¡Si no duermes, al monte!
Vienen el búho
y el gavilán del bosque.

Cuando te duermas:
¡al almendro, mi niño,
y a la estrella de menta!

Canta, río, con tus aguas
Canción 31

Canta, río, con tus aguas:

De piedra, los que no lloran.
De piedra, los que no lloran.
De piedra, los que no lloran.

Yo nunca seré de piedra.
Lloraré cuando haga falta.
Lloraré cuando haga falta.
Lloraré cuando haga falta.

Canta, río, con tus aguas:

De piedra, los que no gritan.
De piedra, los que no ríen.
De piedra, los que no cantan.

Yo nunca seré de piedra.
Gritaré cuando haga falta.
Reiré cuando haga falta.
Cantaré cuando haga falta.

Canto, río, con tus aguas:

Espada, como tú, río.
Como tú, también, espada.
También, como tú, yo, espada.
Espada, como tú, río,
blandiendo al son de tus aguas:

De piedra, los que no lloran.
De piedra, los que no gritan.
De piedra, los que no ríen.
De piedra, los que no cantan.

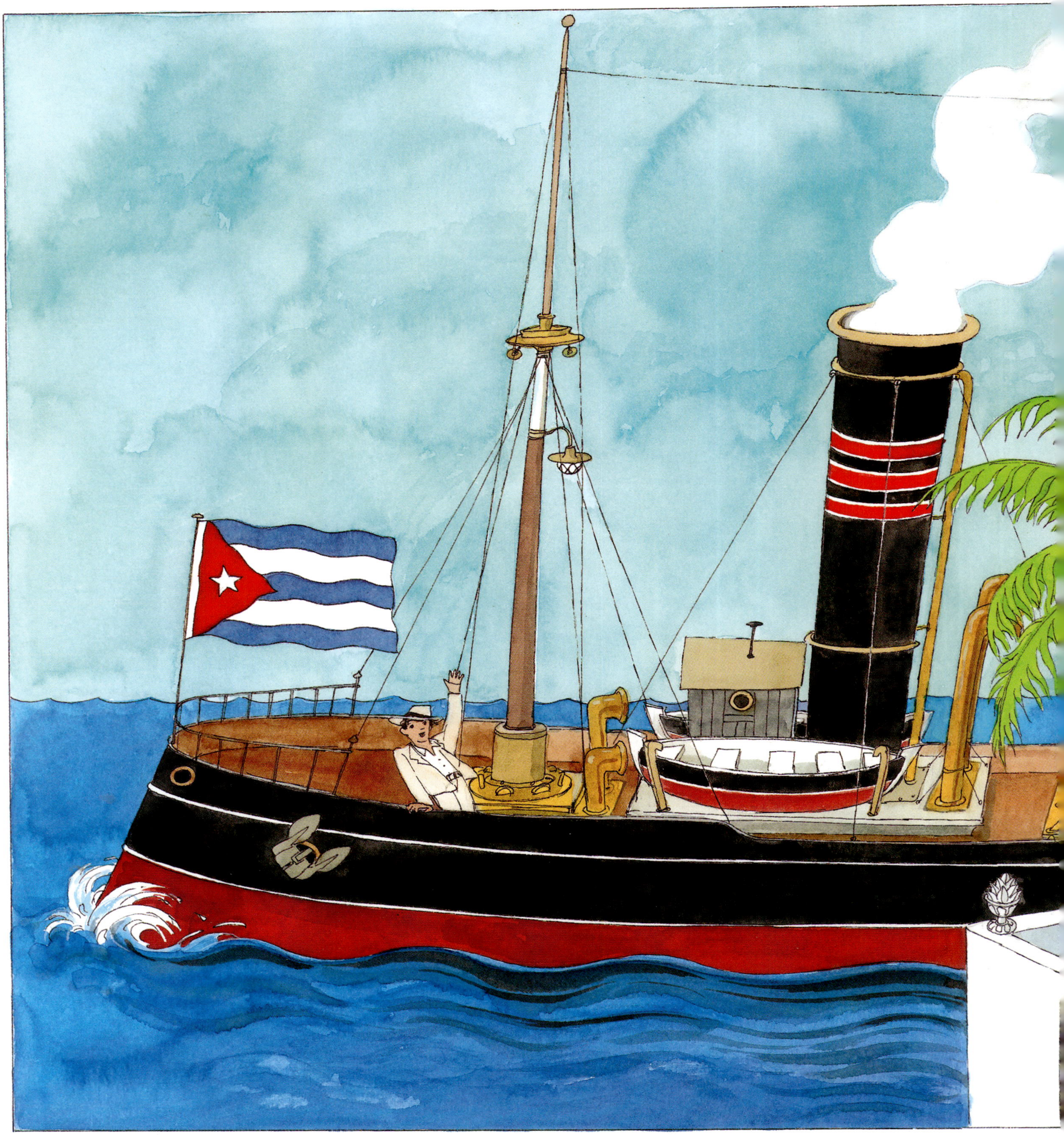

De la Habana ha venido un barco...

De mi ventana huye el barco
venido ayer de La Habana.
¡Saltemos del lecho del barco,
lucero de la mañana!

Al pasar por tu azotea,
me echarás una naranja
y un zapatito de oro,
lleno de almendras y agua.

¡A las Antillas me voy
por unas mares de menta
amarga!

Balada 1 de la Quinta del Mayor loco

¡Bañado del Paraná!
Desde un balcón mira un hombre
el viento que viene y va.

Ve las barracas movidas
del viento que viene y va.

Los caballos, como piedras
del viento que viene y va.

Los pastos, como mar verde
del viento que viene y va.

El río, como ancha cola
del viento que viene y va.

Los barcos, como caminos
del viento que viene y va.

El hombre, como la sombra
del viento que viene y va.

El cielo, como morada
del viento que viene y va.

Ve lo que mira y mirando
ve sólo su soledad.

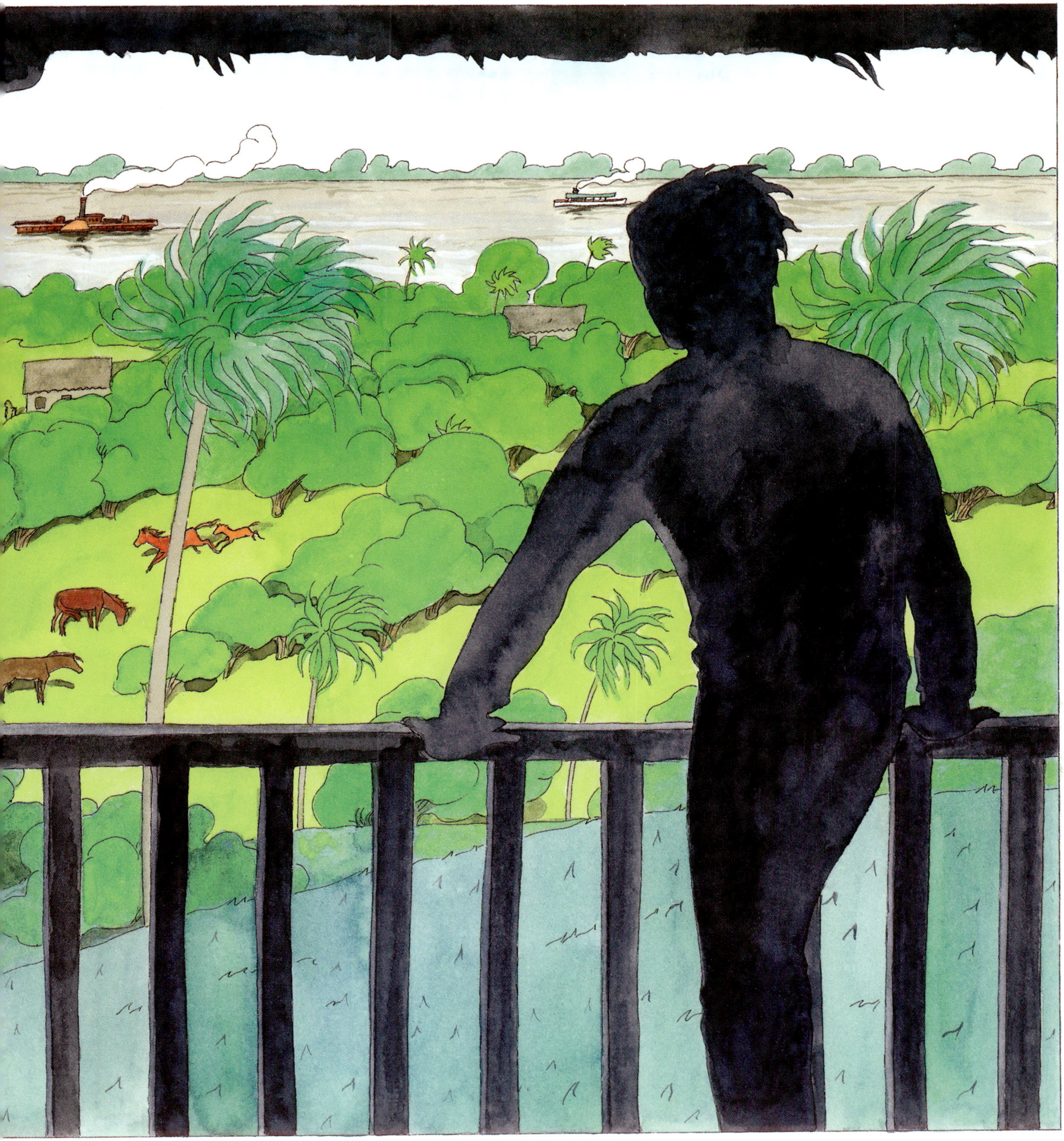

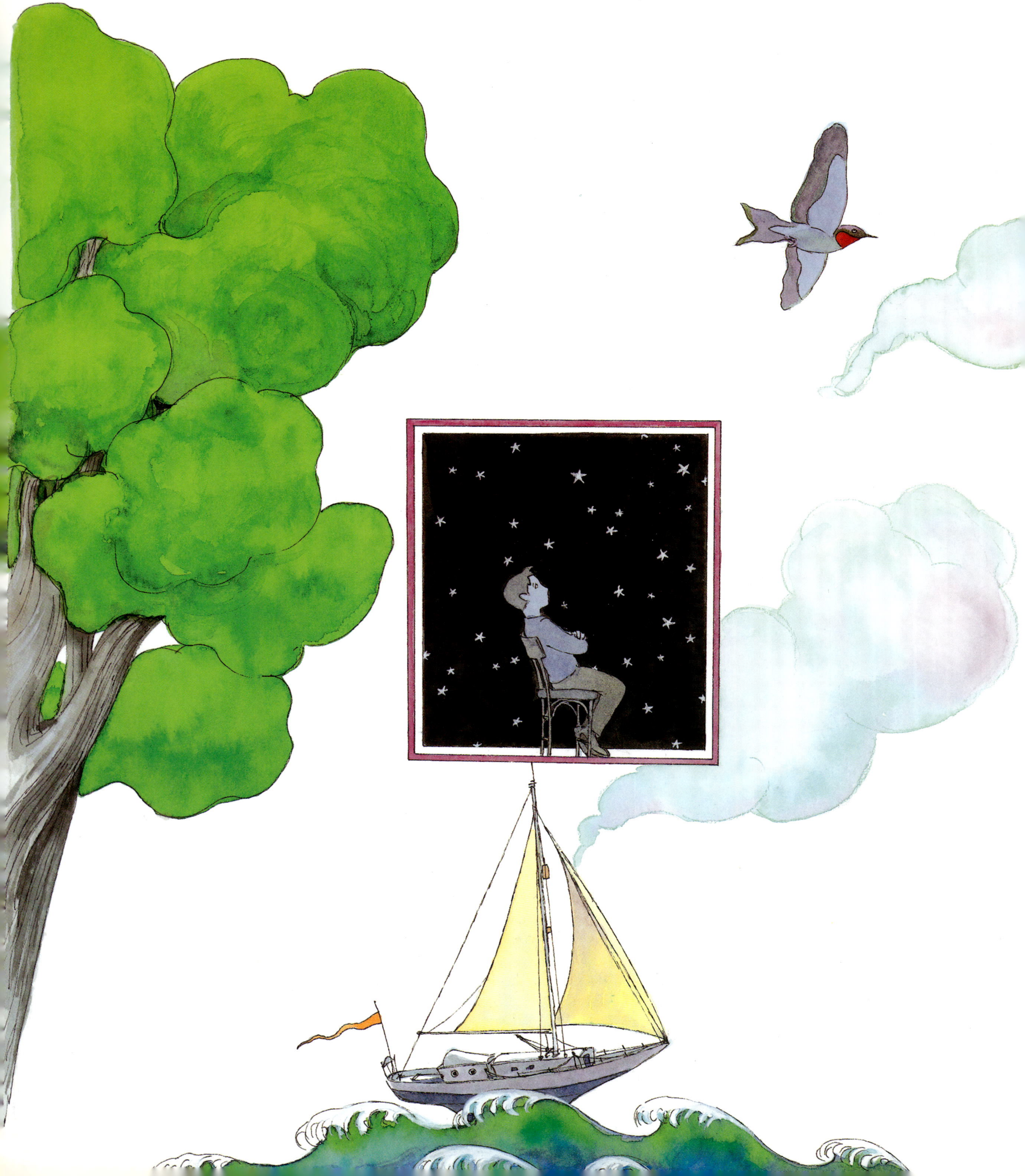

Creemos el hombre nuevo
Canción 37

Creemos el hombre nuevo
cantando.

El hombre nuevo de España,
cantando.

El hombre nuevo del mundo,
cantando.

Canto esta noche de estrellas
en que estoy solo, desterrado.

Pero en la tierra no hay nadie
que esté solo si está cantando.

Al árbol lo acompañan las hojas,
y si está seco ya no es árbol.

Al pájaro, el viento, las nubes,
y si está mudo ya no es pájaro.

Al mar lo acompañan las olas
y su canto alegre, los barcos.

Al fuego, la llama, las chispas
y hasta las sombras cuando es alto.

Nada hay solitario en la tierra.
Creemos el hombre nuevo cantando.

FINALES

El viejecillo

Yo soy un viejecillo. Lo estáis viendo.
Vivo siempre asomado a esta baranda.

Me gustan las palomas,
los gorriones y las golondrinas...
Me gusta todo lo que tiene alas,
lo que vuela en el cielo.

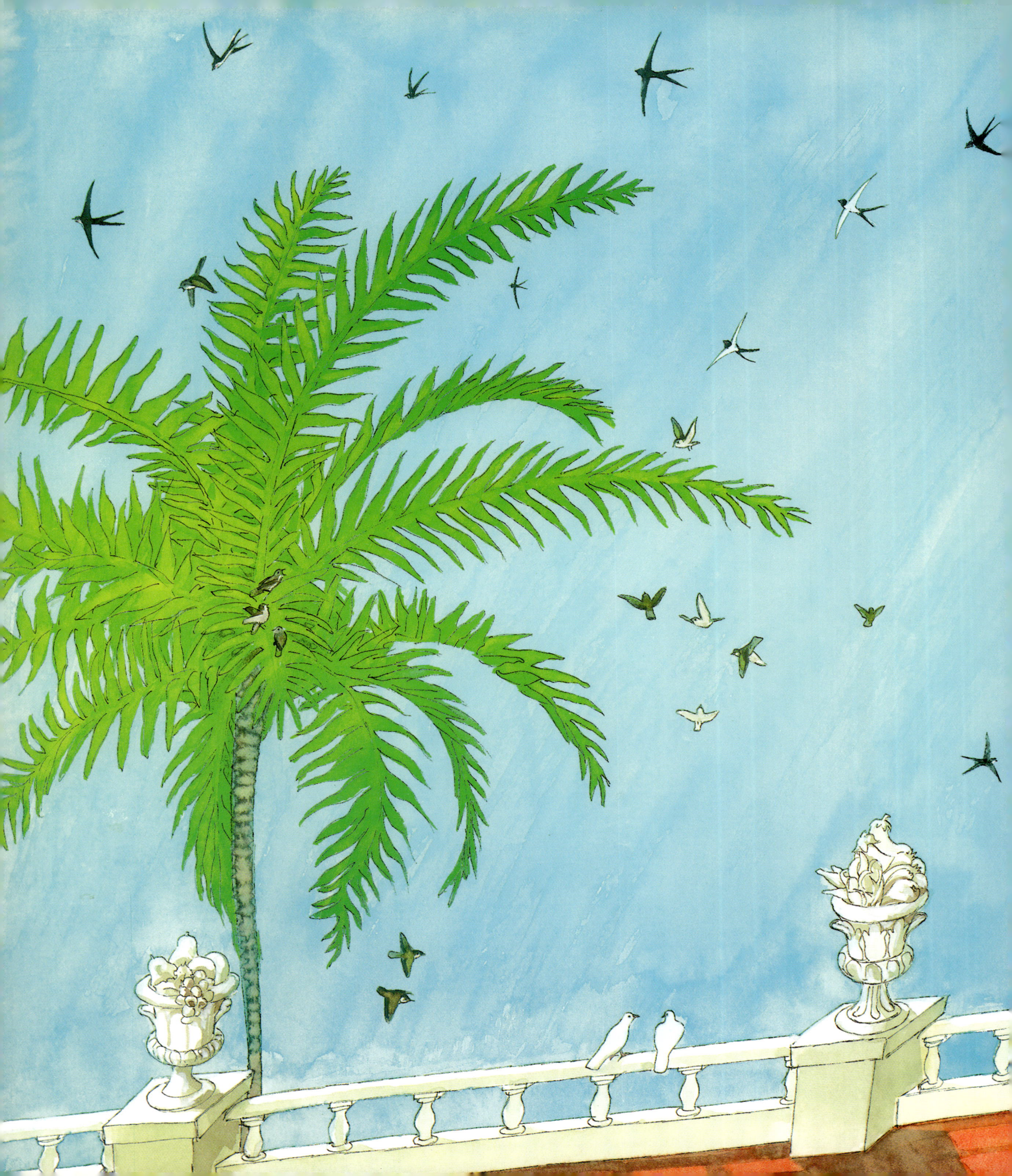

Yo siempre miro al cielo,
día y noche asomado a esta azotea.
¿Cuántos años? No sé.
Yo ya no duermo nunca.
Lo poquito de vista que me queda
quiero gastarlo contemplando el cielo.
El cielo es todavía muy azul,
tan azuladamente azul que, a veces,
me hace llorar, y entonces
—cosas de viejo— pienso
que mis lágrimas son también azules.

Cuando el cielo se agita anubarrado,
gris y triste, o le salen
por todas las rendijas como espadas de fuego,
o en la noche se vuelve negra boca de lobo,
bueno, entonces, me da mucho temor,
pues todo lo que vuela
desaparece de mí... Me gustan,
claro está, las estrellas,
pero arden muy fijas y muy altas... Sólo
puedo mirar aquellas que de súbito
vuelan de un lado a otro como pájaros
encendidos... ¿La luna?
Sí, claro está, también... Pero a mis ojos
gusta más el azul del cielo por el día,
lo que vuela en el cielo...

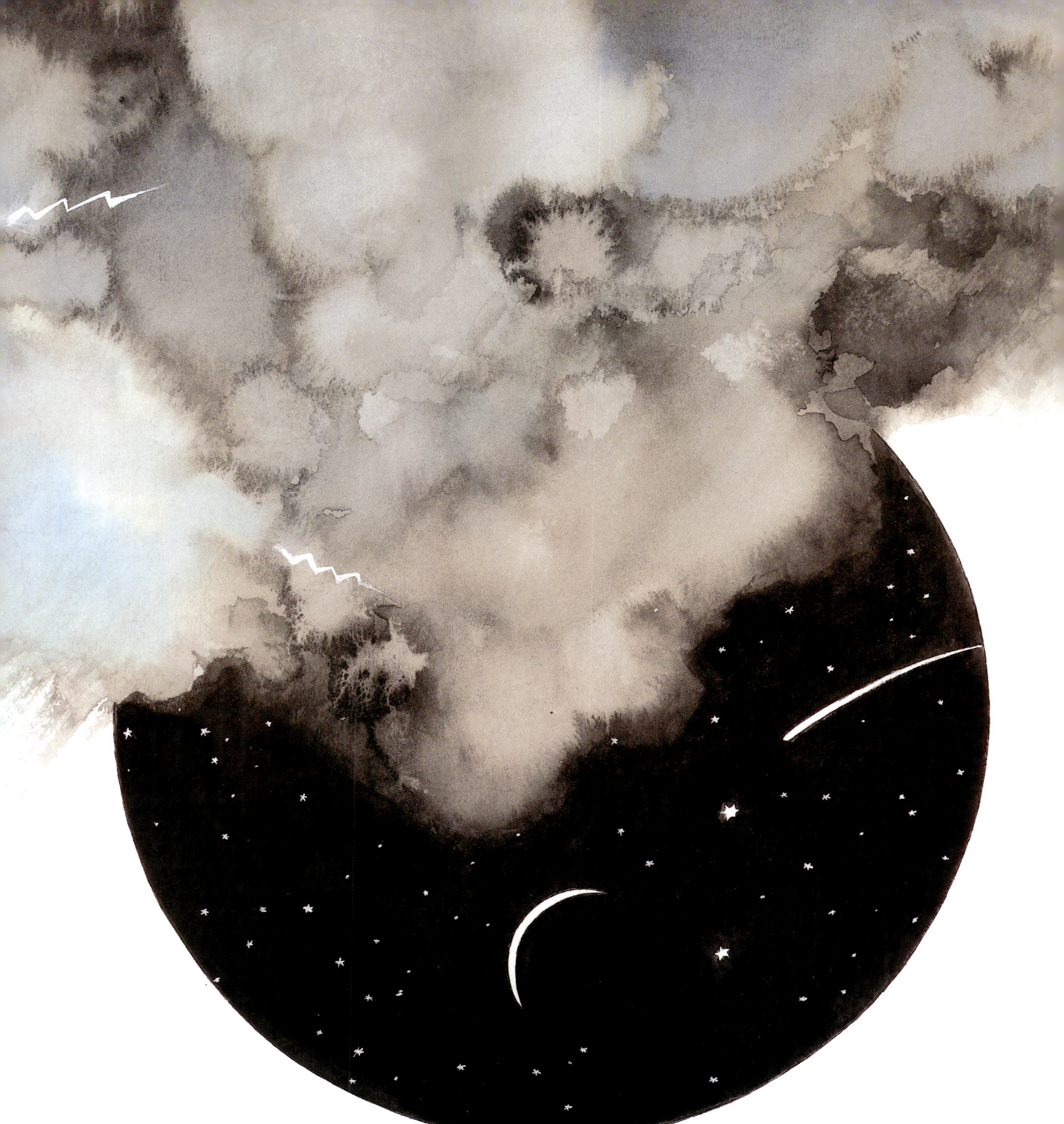

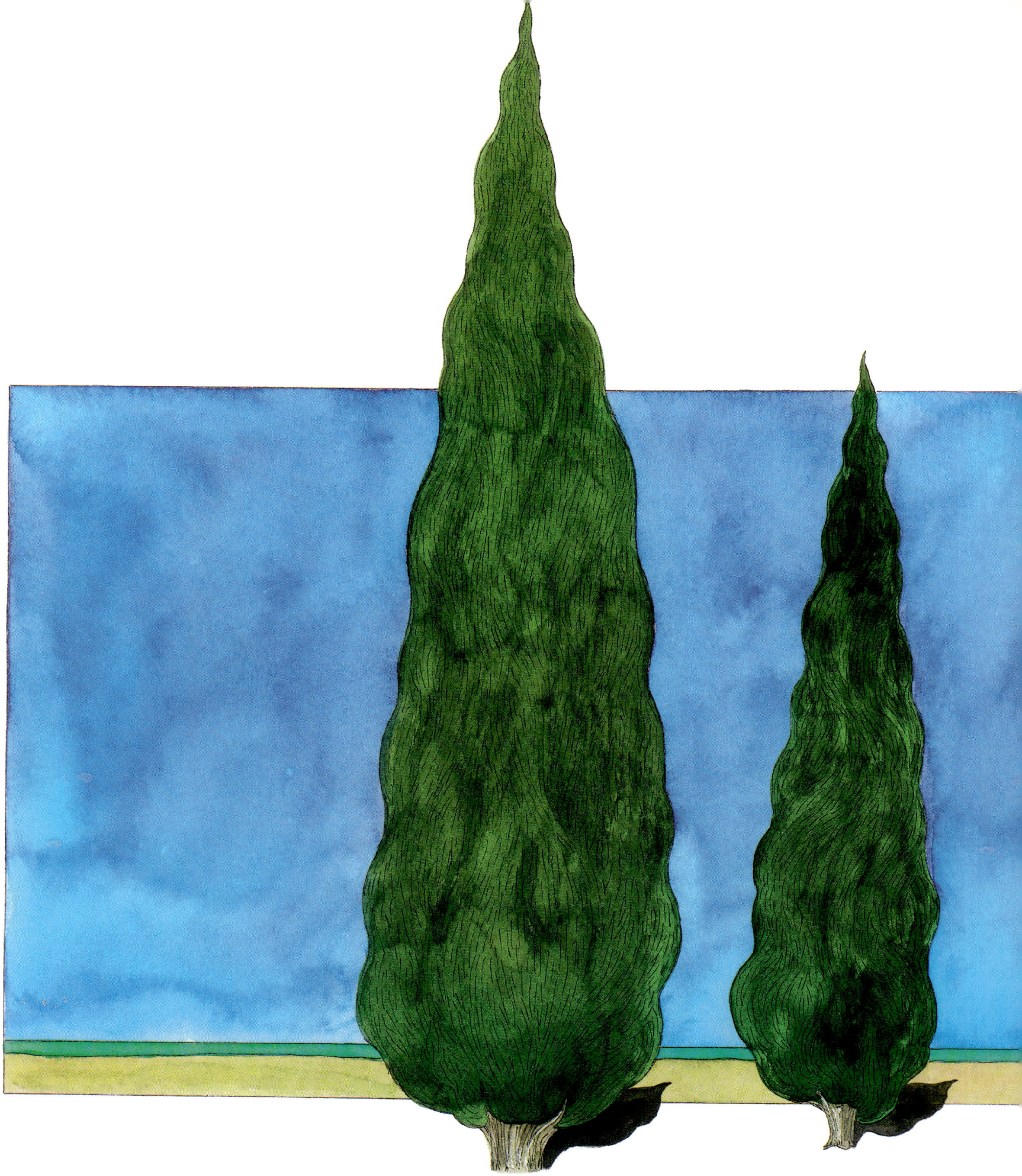

¡Qué cielo tan azul el de hoy! Reluce
de un azul como nunca vi en mi vida.
Y sin embargo nada vuela hoy.
Se ve el silencio, pero sin una ala.
¡Qué amargo fin si ahora
se cerraran mis ojos para siempre!
Nada se llevarían,
ni siquiera el temblor de una paloma.

Pero algo escucho... Viene de los montes...
Cada vez zumba el cielo con más fuerza.
¿Qué pájaro será? Nunca hubo alas
que estremecieran tanto el aire. ¡Nunca!
Ya aparece. Qué extraño.
Es como un pez de plata,
un gran pez volador,
en medio de la mar azul del cielo.
Viene recto hacia mí... Parece ahora
un inmenso venablo luminoso.
No zumba ya... Vuela callado... mudo...
Va más despacio... Baja...
¿Intentará posarse en la azotea?
No es posible... Ha pasado
casi rozando la baranda... Alguien
—¿me habré dormido y todo será un sueño?—
me ha dicho adiós -lo he visto- con la mano...
Se oye otra vez... No zumba... Vuelve ahora
esparciendo una música suave...
De nuevo me saluda...

137

Se detiene —¡oh milagro!— en el aire... ¿Qué escucho?
¿No es una voz? ¿La entenderé? ¿Quién eres?
¡Habla más alto! ¡No, más alto! ¿Cómo?
—Alguien que tú seguramente esperas.
—¿Esperar yo? Bien sé lo que me aguarda.
—Tus ojos aman el azul del cielo...
—Amo el azul y el vuelo de los pájaros...
—¿Te gustaría ver el azul siempre?
—Si eso fuera posible...
—Soy el arcángel azul... Mañana
vendré por ti —prepárate—
al primer tiemblo del azul del día.
¡Adiós!
—¡Adiós! ¿Será verdad? ¡Dios mío!
¡Vaya usted a saber! No estoy soñando.

Pero yo soy un viejecillo alegre.
Vivo siempre asomado a esta baranda.
Me gustan las palomas,
los gorriones y las golondrinas,
y también, desde hoy,
—cosas de viejo loco—,
ese arcángel que vuela por el cielo,
sobre un gran pez de plata.

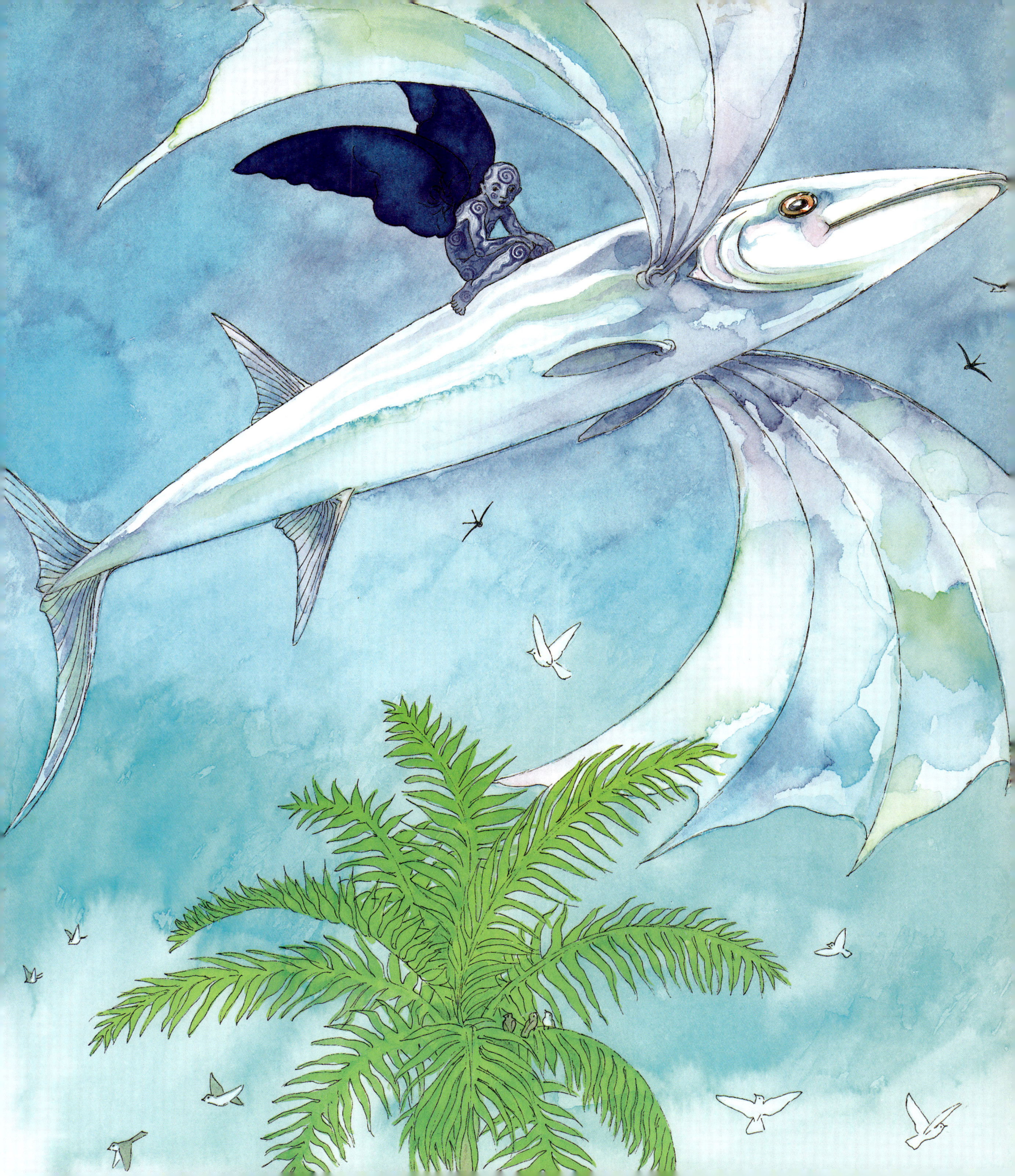

La última hoja

¿Pasarás tú, mar pálido, algún día
también la última hoja,
viendo espantado al arribar al índice
las páginas y páginas ya idas?

ÍNDICE

ÍNDICE GENERAL

La mar de versos, 7

Mares
Si mi voz muriera en tierra, 13
Me siento, mar..., 15
De niño, mar..., 16
Si te escucharas..., 17
La niña que se va al mar, 19
Madre, vísteme..., 20
Los balcones de mi casa, 21
Quién cabalgara el caballo, 23
Madrigal de Blanca-nieve, 24
Barco carbonero, 25
Recuérdame en alta mar, 26
Al mar, al mar, 28
Geografía física, 31
Huye el mar, 32
Sabe también, 33
De lejos, 34
El otoño, otra vez, 35
Epitafios, 36

Disparates
Bailecito de bodas, 41
Nocturno, 43
Ja je ji jo ju, 44
Mar en bicicleta, 45
Dondiego sin don, 46
El suelo está patinando, 47
La cola era verde, 48
La otra noche vi, 51

Animales
Gatos, gatos y gatos..., 55
El niño de la palma, 56
¡A volar!, 58
La urraca, 59
Nana de la cigüeña, 60
Nana de la tortuga, 61
Nana de la cabra, 62
Paz, 63

Oficios
Pregón del amanecer, 67

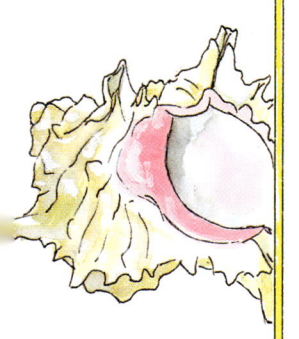

Si yo nací campesino, 69
Elegía del niño marinero, 70
Salinero, 73
Pirata, 74
Del barco que yo tuviera, 75
El piloto perdido, 76
Dialoguillo de la Virgen de
   marzo y el Niño, 77
Los tres noes, 78

Amoríos
Prólogo, 83
La novia, 85
El farolero y su novia, 86
Ruinas, 87
Una coplilla morena, 88
Es tan niña, 89
Branquias quisiera tener, 90

Nostalgias
Mi infancia, 95
El mar, 96
Gimiendo, 98
Medina de Pomar, 99
Me asomé..., 100

No me dijiste, 101
El árbol, 103
El mapa de España
   (Canción 8), 104
Cuando me vaya de Roma, 107
Balada de la bicicleta
   con alas, 108

Canciones
Pregón, 113
Barcos extranjeros, 114
Nana del niño muerto, 116
Nana del niño malo, 117
Canta, río con tus aguas
   (Canción 31), 118
De La Habana ha venido un
   barco..., 121
Balada 1 de la Quinta
   del Mayor loco, 122
Creemos el hombre nuevo
   (Canción 37), 125

Finales
El viejecillo, 129
La última hoja, 141

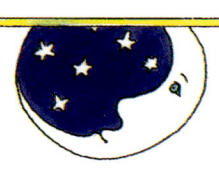

ÍNDICE ALFABÉTICO DE POESÍAS

¡A volar!, 58
Al mar, al mar, 28
Árbol, el, 103

Bailecito de bodas, 41
Balada 1 de la Quinta del Mayor loco, 122
Balada de la bicicleta con alas, 108
Balcones de mi casa, los, 21
Barco carbonero, 25
Barcos extranjeros, 114
Branquias quisiera tener, 90

Canta, río con tus aguas (Canción 31), 118
Cola era verde, la, 48
Coplilla morena, una, 88
Creemos el hombre nuevo (Canción 37), 125
Cuando me vaya de Roma, 107

De La Habana ha venido un barco..., 121

De lejos, 34
De niño, mar..., 16
Del barco que yo tuviera, 75
Dialoguillo de la Virgen de marzo y el Niño, 77
Dondiego sin don, 46

Elegía del niño marinero, 70
Epitafios, 36
Es tan niña, 89

Farolero y su novia, el, 86

Gatos, gatos y gatos..., 55
Geografía física, 31
Gimiendo, 98

Huye el mar, 32

Ja je ji jo ju, 44

Madre, vísteme..., 20
Madrigal de Blanca-nieve, 24
Mapa de España, el (Canción 8), 104

Mar en bicicleta, 45
Mar, el, 96
Me asomé..., 100
Me siento, mar..., 15
Medina de Pomar, 99
Mi infancia, 95

Nana de la cabra, 62
Nana de la cigüeña, 60
Nana de la tortuga, 61
Nana del niño malo, 117
Nana del niño muerto, 116
Niña que se va al mar, la, 19
Niño de la palma, el, 56
No me dijiste, 101
Nocturno, 43
Novia, la, 85

Otoño, otra vez, el, 35
Otra noche vi, la, 51

Paz, 63
Piloto perdido, el, 76
Pirata, 74

Pregón del amanecer, 67
Pregón, 113
Prólogo, 83

Quién cabalgara el
 caballo, 23

Recuérdame en alta mar, 26
Ruinas, 87

Sabe también, 33
Salinero, 73
Si mi voz muriera en
 tierra, 13
Si te escucharas..., 17
Si yo nací campesino, 69
Suelo está patinando, el, 47

Tres noes, los, 78

Última hoja, la, 141
Urraca, la, 59

Viejecillo, el, 129

Índice de procedencia de las poesías y fecha de publicación

Poemas anteriores a Marinero en Tierra
Ja je ji jo ju
Al mar
El suelo está patinando
   (de *Balcones*)

Marinero en Tierra (1924)
¡A volar!
Dondiego sin don
Nana del niño muerto
Nana del niño malo
Nana de la cigüeña
Nana de la cabra
Nana de la tortuga
Geografía física
De la Habana ha venido un barco...
El mar. La mar
Gimiendo por ver la mar
La niña que se va al mar
Salinero
Branquias quisiera tener
Del barco que yo tuviera
El piloto perdido
Qué altos los balcones de mi casa
Barco carbonero
Madrigal de Blanca Nieve
Elegía del niño marinero
Madre, vísteme a la usanza
Recuérdame en alta mar
Quién cabalgara el caballo
Si yo nací campesino
Si mi voz muriera en tierra
Pirata

La amante (1925)
Ruinas
Pregón del amanecer
Dialoguillo de la Virgen de marzo y el Niño
Medina de Pomar

El alba del alhelí (1926-1926)
Prólogo
Los tres Noes
La novia
Pregón
El niño de la palma
El farolero y su novia
Barcos extranjeros, hija
Una coplilla morena

Entre el clavel y la espada (1940)
La cola era verde
Bailecito de bodas

Pleamar (1942-1944)
– Arión:
   Si te escucharas (Nº 13)
   Epitafios (Nº 17, 18, y 19)
   No me dijiste (Nº 28)
   De niño, mar... (Nº 31)
   Me asomé (Nº 36)
   Mar en bicicleta (Nº 41)
   De lejos (Nº 55)
   Sabe también (Nº 58)
   Me siento, mar... (Nº 59)
   Huye el mar (Nº 73)
   La urraca (Nº 79)
   Es tan niña (Nº 88)
   La última hoja (Nº 111)
– Cármenes:
   El árbol (Nº 33)

A la pintura (1945-1967)
Blanco (Nº 7)

Baladas y Canciones del Paraná (1953-1954):
Baladas y Canciones del Quinto del Mayor
   loco (Canción 1)
El mapa de España (Canción 8)
Canto, río con tus aguas
   (Canción 31 de Canciones 2)
Balada de la bicicleta con alas (Nº 1)
Creemos el hombre nuevo (Canción 37)

Abierto a todas horas (1960-1963)
El otoño, otra vez (Nº 9)

Matador (1961-1965)
El viejecillo

Roma, peligro para caminantes (1964-1967)
Nocturno
Cuando me vaya de Roma
Gatos, gatos y gatos

Los 8 nombres de Picasso (1966-1970)
Paz (Nº XXXI)

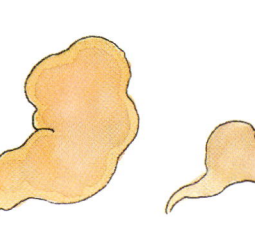

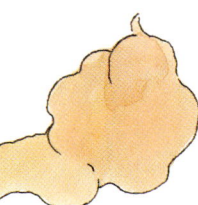

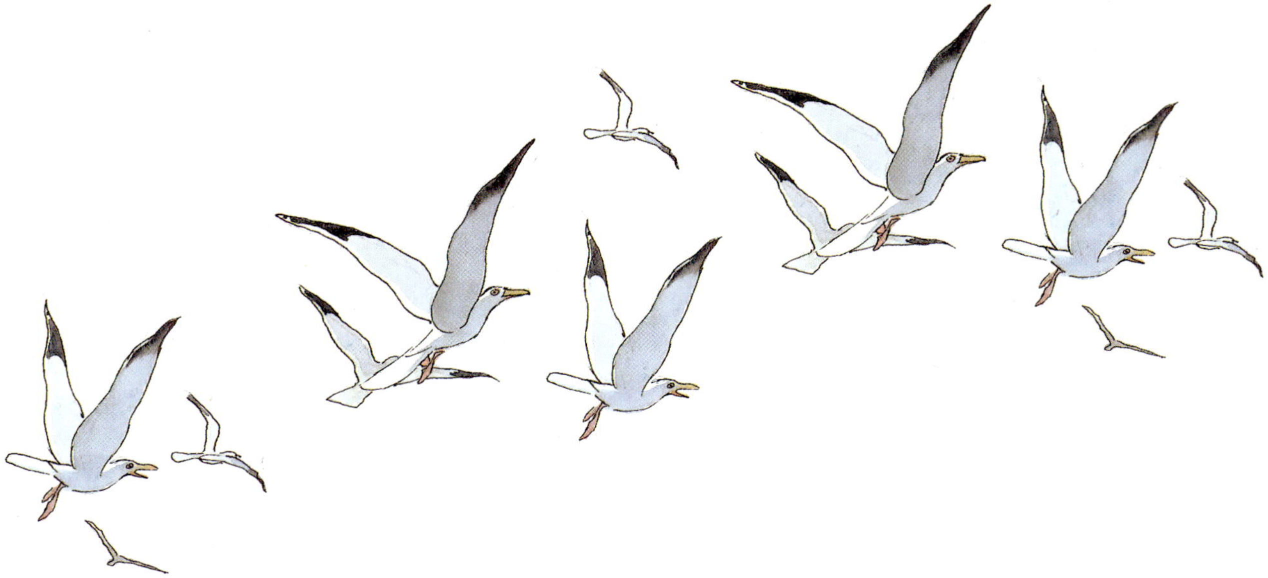

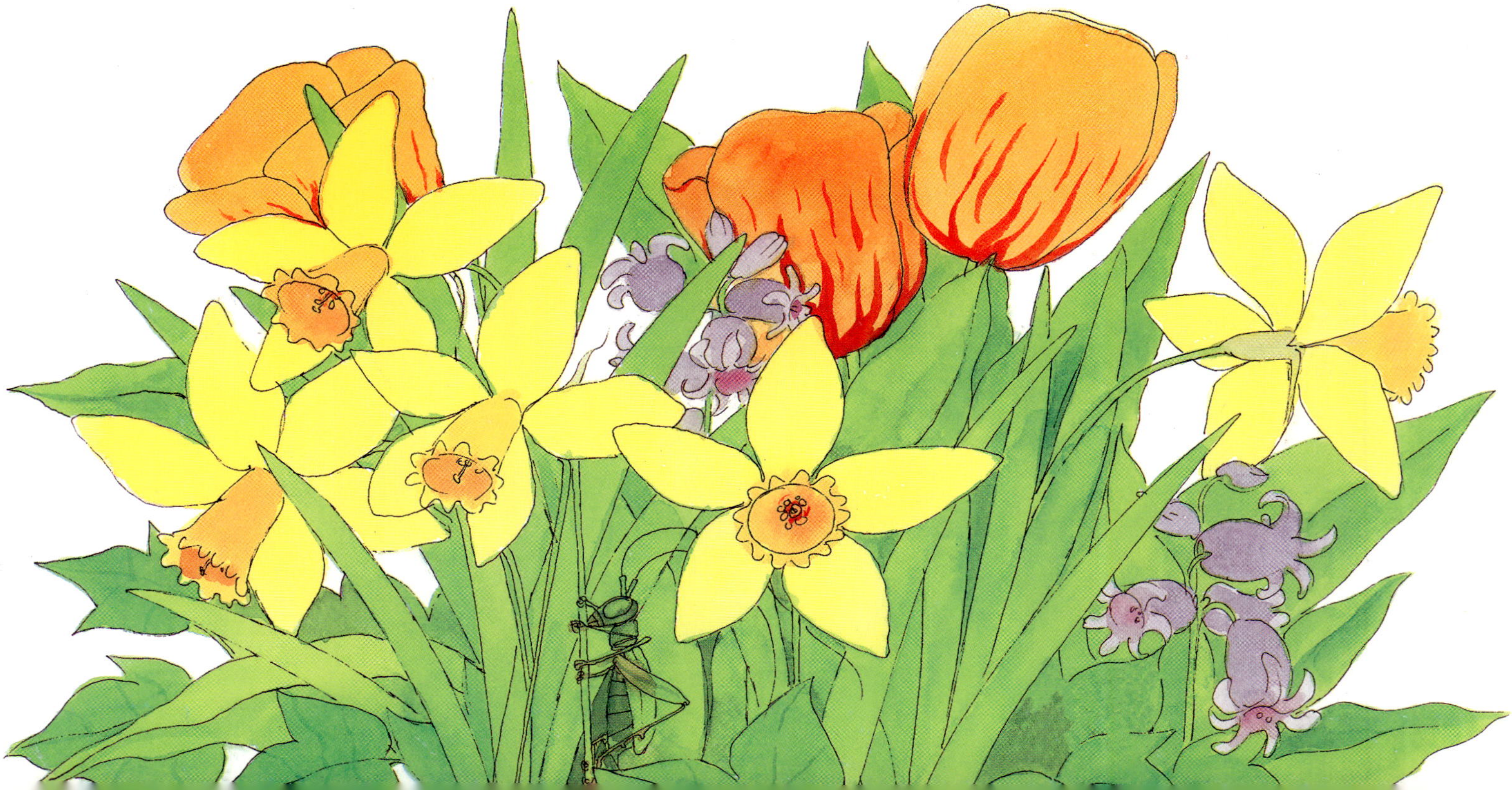